U0134499

科學發展史

To my teacher Armen A. Alchian

   In grateful memory

給老師阿爾欽

   感激與懷念

紞如三鼓,鏗然一葉,黯黯夢雲驚斷。夜茫茫,重尋無處,覺來小園行遍。

——取自蘇軾《永遇樂》

經濟解釋　第四版

全五卷之一：科學說需求

ECONOMIC EXPLANATION, FOURTH EDITION
BOOK ONE OF FIVE: THE SCIENCE OF DEMAND

張五常　著
Steven N. S. Cheung

Arcadia Press
花千樹

這些爭議的經驗告訴我們，除非經過理智的考究與闡釋，我們不可能從事實中學得些什麼。這也教訓了我們，使我們知道最魯莽而又虛偽的，是那些公開聲言讓事實自作解釋的理論家；或者無意識地，自己在幕後操縱事實的選擇與組合，然後提出如下的推論：在這之後，所以這就是原因。

——馬歇爾

目錄

第四版引言

　　今天變為五卷的《經濟解釋》，構思始於一九六九。該年暑期我到香港度假時，美國幾位指導過我的大師已經認為我是世界級的價格理論專家了。然而，當時在香港的市場與工廠見到的現象，很多我無法解釋。經濟理論的整體需要徹底地來一次大修是那時肯定的。我可想不到此修也，從那時到今天四十七年，其歷程的細節本卷開頭的三個序言有詳細的回憶。

　　在這四十七年中，絕大部分的時間我花於觀察世事，其間當然不斷思考。上蒼的幫忙不可或缺：協助的朋友無數，世事的轉變既頻密也精彩，科技的發達讓文稿容易整理，而我的腦子竟然能保持在頂峰狀態，到今天的八十一歲。

　　這在二〇一六年用了六個月修改的《經濟解釋》不會再作大修的了。雖然腦子還可以天馬行空，但體力有所不逮。我算不清曾經修改了多少次，但見到在此之前有三個時日不相近的序言，就稱這應該是最後的大修為第四版吧。

　　《經濟解釋》的第四版分五卷：《科學說需求》；《收入與成本》；《受價與覓價》；《合約的一般理論》；《國家理論與經濟解釋的理論結構》。

　　　　　　　　　　張五常　二〇一六年十二月

序：尋尋覓覓五十年

"經濟解釋"一詞在百度的中文世界出現過一百一十萬次。是"精算"，即是那四個字要一起相連才算。在中文世界的經濟學術語中，此詞出現的頻率是遙遙領前了。魚沫吹秦橋，老人家大聲疾呼了多年終於見到一點效果。

一九七三年，我在西雅圖華大提出"Economic Explanation"這個書名，同事們一致說好。一九八九年在《香港經濟日報》以該名寫書，直譯為《經濟解釋》。寫了十二期，母親病倒，停筆，二〇〇〇年初續筆，寫了兩年，得三卷，因為事忙寫得不稱意。二〇〇九年底再寫，四年多後得四卷，字數多了一倍——這次是稱意了。

思想傳世非常困難

沒有什麼明顯的理由，但為了創作一個人有時願意付出很大的代價。說要滿足科斯的一廂情願，把他認為是好的經濟學在中國搞起來，可能只是託詞。感受上，彷彿要嘗試一下，自己可以做到的最好的學術作品究竟是怎麼樣的。《經濟解釋》全四卷，這裡合併出版的，回答了這個問題。

經濟是老人的學問，從事者可以寫到很老。然而，到七十八歲才寫出自己最重要的經濟學論著應該是個紀錄。熟知我的經濟論著而又懂中文的朋友，一致認為這四卷《經濟解釋》是我最重要的學術作品。他們又說這作品超越了古人。我的回應，是經濟思想究竟有多重要很多年後才知道，自己不會活那麼久。歷史無情，思想不是實物，要傳世十年八載也艱難。經濟思想的傳世機會比不上畫作因為後者是值錢的實物，比不上小說或音樂因為一代一代的人喜歡聽同樣的故事或曲調，比不上李白或蘇東坡因為經濟學者沒有他們的文采。有創意而又有用途的足以傳世的思想很難遇上。

有天時地利的協助

話得說回來，如果一個經濟學者希望自己的思想傳世，他不可能找到一個比我遇上的更有利的時代與更有利的地方。斯密的《國富論》寫於英國工業革命發展得如火如荼；馬克思的《資本論》寫於該革命惹來貧富分化；凱恩斯的《通論》寫於舉世經濟大蕭條。然而，從人類歷史看天下大勢，這三段時期皆比不上中國開放改革那麼重要。

時來風送滕王閣，一九七九年我開始跟進中國的改革發展，該年寫下自己第一篇給同胞們讀的關於產權與競爭的中語文章。從那時到今天，跟進中國的發展我沒有中斷過，用中文下筆寫了幾百萬字。從來不敢說我對國家有什麼影響，但國家的發展影響了我的經濟思想是肯定的。比西方的同事多看了一個世界，尤其是中國經改初期，新奇古怪的現象天天有，每隔幾天思如泉湧。這些不斷的衝擊使我為修改經濟理論與概念的細節天天到處跑。不知就裡的朋友說我放棄了學術，但結果是這本厚達千多頁的《經濟解釋》。

阿爾欽對我影響最大

如果要我舉出一個對我的經濟思想影響最深遠的人，那是非老師阿爾欽（Armen A. Alchian）莫屬了。是阿師的教誨，一九六四年我驀然驚覺，除了解釋現象或行為，經濟學的整體

沒有其他好去處。阿師看世界永遠像小孩子那樣看，對瑣碎事
物的提問永遠本着小孩子的好奇心，提出的問題永遠是淺得像
一個腦子沒有發育得好的人。我是因為答不出他的淺問題而知
道做學問要從最簡單的層面入手，然後一層一層地加上變化。

　　當年洛杉磯加大每年只有兩個學期，我重複地聽了阿爾欽
七期。他從來不用講稿，不分題材，極少在黑板上畫些什麼，
只是行來行去地自言自語。只有一次他給同學們看一紙殘破不
堪的讀物表，但幾分鐘後叫同學們不要讀。每有同學問及某名
家的大文時，他喜歡回應：你相信他說的嗎？

　　是我之幸，聆聽阿師之課時我已經選修了研究院教的所有
理論課程，技術性的，成績冠於同窗。我是因為有這樣的準備
但聽不懂阿師的“淺說”才知道學問的真諦是另一回事。

際遇神奇學思考

　　想當年，在加大苦學之際，那裡的經濟系是最強的時期；
後來一九六七年到芝加哥大學作博士後，又是該校經濟系的最
強時期。我不是個懂得尊師重道的人，但這兩家大學的大師都
喜歡教我。沒有其他學子，不管是美國的還是外國去的，曾經
有像我那麼幸運的學經濟的際遇。跟大師交往而學習與讀他們
的作品是兩回事：前者我可以遠為容易地學得他們怎樣想。科
斯曾經說我吸收了多位大師的思考、推理方法，不是仿傚，而
是佔為己有。科斯又說我也學會了他的思考方法。就是歷來少
寫文章的戴維德的思考方法我也學會了不少。

　　往事依稀。記得在洛杉磯加州大學時，某晚旁聽赫舒拉發
的課，他突然問：“史提芬，你旁聽了我那麼多個學期，難道我
的經濟學你還沒有學會嗎？”我回應：“你的經濟學我早從你寫
下的文章學會了。不斷地聽你的課是要知道你怎樣想。”赫師

顯得很高興。

可以這樣説吧。上世紀六十年代我對古典與新古典的多家論著不僅讀得熟，更為重要是得到多位大師的指導，對傳統經濟理論的不足處也有了相當的體會。好比私下間從幾位大師聽到傳統的公司理論一無是處，有時簡直破口大罵，但在課堂上他們不會那樣説。這樣的學習經歷，加上一九六九年回港度假時發覺自己學得的，對很多瑣碎現象沒有滿意的解釋，我於是決定不再讀他家之作，專注於在基礎的理論與概念上作修改與加上變化。

這裡要順便一提。不少人認為我在經濟學上的創意超凡，應該不對。我的所謂"原創"思想大部分是從師友的閑談中"偷"回來的，雖然喜歡感謝來源，但往往感謝不了那麼多。可幸的是，師友們沒有一個介意我"盜"用他們的思想而大事發揮。我不是個先知先覺的人，但後知後覺得快，可以在幾分鐘內推到很多沒有人想過的地方。可能因為有這種胡思亂想的本領，當年的師友喜歡跟我研討。

不再讀書的原因

一九六九年起我不再讀他家之作。這行為八二年回港任教後多受批評，反映着中、西為學之道有別。在此之前的西雅圖華大，諾斯、麥基、巴澤爾等人知道我選擇不讀不僅同意，且往往鼓勵。他們知道傳統的經濟理論有很多問題，認為我是個可以全面革新該傳統的人選。我自己當時的想法，是書永遠讀之無盡，求學有讀書的時候，也有思想的時候，思想時可以不讀最好不讀。市場與非市場的不容易解釋的瑣碎現象無數，我要多到真實世界觀察才可以把學會了的有無數問號的理論修改。我也察覺到雖然科斯因為解通了"外部性"的密碼而名揚天下，但事前他沒有聽過外部性這回事！再者，以我自己的佃農理論為例，要是讀過前人之說我不會想出自己的分析。

一九六九是四十五年前，那麼久還在經濟學打轉的行內朋友中，讀他家之作最少的應該是我：基本上我一概不讀。這不是說我不知道經濟學發生着些什麼事。美國的朋友常有聯繫，有什麼風吹草動他們總要知會一下。

經濟學的發展操之過急

於今回顧，西方經濟學在上世紀六十年代中期開始出現了些問題。那時經濟學的教職市場在美國大熱，工作極為易找。好比一九六五年我還沒有動筆寫博士論文就有幾家大學爭着要。然而，在同一時期，數學與統計等科目沒有教職市場，博士因而不值錢。但數學在碩士或博士後轉攻經濟，易過借火，只兩年可拿得一份經濟學助理教授之職。這導致數學家與統計學家轉攻經濟的人數急升。

說實話，不管是何等天才，兩年學經濟是不夠的。經濟學的公理或定律或函數關係容易寫進方程式去，但概念的掌握與理論的變化不是一朝一夕的工夫。在這個時期我見到馬歇爾、魯賓遜夫人、費雪等大師的經典論著沒有人讀，在課程的讀物表上消失了。這些重要作品的內容被簡化，以一些幾何圖表及簡單的方程式處理，就算是教了。當年我認為那樣簡化馬歇爾及費雪絕對是災難。這些前輩的論著博大湛深，場面廣闊，就是他們錯的地方也教我們很多。

這裡有一個原則同學們要記住：不重要的學術作品大可不讀，但重要的要反覆重讀，讀多遍。不要相信重要作品的簡化闡釋，因為作者究竟怎樣想我們不可能從簡化的闡釋中學到。學經濟，跟學任何推理性的學問一樣，主要是學怎樣想。同學可能是天才，但不懂得怎樣想天才等同廢物。思想的法門是需要學的。沒有機會像我當年那樣屢遇高人，反覆重讀他們的原作是可取的替代。

越戰惹來學術災難

六十年代後期出現的越戰，對美國的學術發展是更大的災難了。那時美國用徵兵制，無端端地強迫青年放棄求學而到越南受苦，反對者當然無數。這帶起不少美國的年輕人反對權勢或反對權威的意識。不少大學的助理教授見大教授們的話事權與薪酬比他們高，而他們沒有"終生僱用合約"，紛紛吵起來了，吵得很厲害。他們問："你們這些老頭子連簡單的方程式也不懂，怎麼有權管我？"

以數文章多少、論學報高下為升職的準則是從那時搞起來的。這發展對經濟學的禍害比其他學系為甚，因為懂得用數學方程式的遠為容易發表經濟學的文章。不是說數學於經濟沒有用處，但思想內容減少是一般的代價。我親眼見到這個無聊的算文章多少的準則在八十年代後期引進香港，再十年進入了中國內地。是的，像戴維德那樣的高人，在今天的香港及中國內地不可能找到教職！

師徒路線開始分離

回頭說老師阿爾欽，上世紀七十年代初期起他的思想路線跟我的開始分離。不是大家對世事的興趣有別，而是處理的方法在一個重點上是分離了。

事緣一九六八年阿師造訪芝大，我也在那裡，師徒相得甚歡。某天共進午膳，我向他提出兩個人一起抬石頭下山的例子，二者皆要把重量推到對方去，是卸責的行為，不知在均衡

點上二人合共抬石的重量怎樣決定。跟着一九六九年我發表
《合約的選擇》，其中再提及卸責（shirking），從而引進監管或
交易費用。該文得到戴維德的讚賞，在行內有影響，但我自己
不滿意，因為"卸責"無從觀察，難以推出可以被事實推翻的
假說，後來決定不再用。

過了幾年，阿師與德姆塞茨合著了一篇解釋公司為何出現
的文章，以"卸責"為主調。該文數易其稿，每次阿師都寄給
我作建議。他知道我的立場，但卸責這個主調他不願意改。
阿、德二師的大文一九七二年在最大名的《美國經濟學報》發
表，大紅大紫，後來成為該學報歷來被引用最多的文章。

博弈理論再興起的原因

"卸責"這個火頭擴散得快，帶來了恐嚇、勒索、敲詐等
與卸責異曲同工的、在觀察上無從確定的行為來解釋世事，而
一九七五年威廉姆森出版了他的《市場與等級》，以"機會主
義"作主題，寫了一部無從觀察的術語的字典，不能說沒有道
理，但無從驗證。把數學方程式引進這不幸發展，結果是六十
年代中期消逝了的博弈理論，八十年代初期大事捲土重來。博
弈理論也有道理，但因為無從驗證，沒有實證科學的解釋力。

二〇一三年二月阿爾欽謝世後，一位朋友告訴我，老師謝
世前幾年認為他與德姆塞茨合著的大文是錯了的。害死人，為
什麼他不早點這樣說呢？他的"卸責"合作者德姆塞茨歷來對
解釋現象沒有興趣。但阿師重視解釋，重視假說驗證。看不到
則驗不着，卸責、勒索等行為不能說是沒有，但我們怎可以從
觀察上證實這些行為的存在與變化呢？我曾經在一個會議上對
"勒索"分析破口大罵，科斯在場，事後勸我客氣一點。我不
再說，走自己的路。

引進交易費用可以挽救斯密之失

今天回顧，我認為上述的不幸發展是源於交易或制度費用的處理過於困難。沒有交易費用當然不會有卸責或勒索，機會主義想也不用想。但交易費用這項局限極難處理，行為無從觀察的術語就不斷地出現了。我的另一位老師赫舒拉發也轉到博弈理論那邊去。百多年來，或在近代歷史中，人類互相殘殺、自取滅亡的傾向明顯，這跟斯密昔日提出的人類自私可使社會得益有着頗大的分離。每個人在局限下爭取利益極大化可以毀滅人類，我們要怎樣處理二百多年前斯密忽略了的不幸發展呢？

我沒有那麼廣闊的視野，以經濟理論解釋人類自取滅亡的行為，因為牽涉到的國際政治局限是在我所學之外了。但我認為，與其用博弈理論或機會主義來解釋我們日常見到的新古典經濟學無從處理的現象，引進交易（包括制度或訊息）費用是可以走得通的路。不容易，但原則上交易費用可以量度，可以觀察其變，可以驗證的假說因而推得出來。

交易費用要到真實世界考查

這裡的困難，是經濟學者不容易——基本上不可能——坐在辦公室裡猜測真實世界的交易費用會是怎麼樣。真實世界是經濟學的實驗室，他們要不斷地到街頭巷尾跑，重視現象的細節，然後在這些細節的轉變中找尋交易或制度費用的微小變化，從而推出可以驗證的假說。困難嗎？那當然，但我自己的經驗，是在真實世界跑得多，瑣碎的現象見得慣，久不久靈機一轉，關於交易費用轉變的規律會浮現出來，跟着以假說解釋現象得心應手，自己有很大的痛快、滿足感。在《經濟解釋》中我寫下了很多示範例子，不是博弈理論那種故事虛構，而是世界的實例。

大事修改傳統不變

解釋威力之外，我選走的經濟解釋的路有一個少人注意的要點。那是在推理的結構上我完全保持着斯密的古典與馬歇爾的新古典傳統。把他們的分析修改了很多，也補充了不少，但基本上我的思想範疇還是斯密與馬歇爾的傳統。即是說，我堅守着傳統的需求定律、成本概念、競爭約束這三項原則，加上變化、補充與修改，但基本上是把這三個原則加強了。

我不由得想起一九六七年阿爾欽給我的論文《佃農理論》的評價。他說："不要沾沾自喜。你的佃農分析全部是傳統的，半點新意也沒有，只是你對這傳統的掌握比此前分析佃農的勝了一籌。"這樣看，斯密與馬歇爾皆分析過佃農，皆錯，是因為他們對自己創立的傳統的掌握有不足之處吧。當然，跟今天的《經濟解釋》相比，《佃農理論》屬小兒科，反映着老人家數十年的不斷耕耘是帶來了可觀的收穫。

有好奇心才有利可圖

我希望今天讀經濟的同學明白，雖然我的分析內容跟同學在課堂上學的是有着很大的差別，但其實我的是源於傳統。這篇序言申述了我把這傳統大事修改的來由，目的只一個：我要解釋或推斷世事。我知道好些從海外回歸的後起之秀不會教這本《經濟解釋》，因為內容跟他們學得的格格不入。但同學們可以之作為課外讀物。困難是《經濟解釋》不是一本可以隨意翻閱一下就讀得懂的書。要認真地讀，有時一小段文字要思量、考慮很久。

對我自己來說，經濟解釋是非常有趣的學問，每次想通一點自己有很大的滿足感。要不然，我不可能持續地思考半個世紀。可以解釋，可以推斷，不一定可以多賺錢，因為思考的時間成本是放棄其他收入的代價，但如果算進趣味的價值，那麼有好奇心的同學會感到，讀這本書是有大利可圖的。

張五常　二〇一四年七月

《經濟解釋》的寫作過程

二〇一四年按：經過四年多的修改與重寫，《經濟解釋》三卷變為四卷，三十萬字變為六十多萬字。於今回顧，一九八九年寫了十二期、因為母親病倒而停筆的那段日子不算，從再動筆的二〇〇〇年到今天是十四年了，比斯密寫《國富論》多了兩年。《國富論》有多少個由作者本人處理的版本不易考究，因為不少是由外人處理的。我藏有斯氏本人還健在時出的第二版。馬歇爾的《經濟學原理》出過八版，即是有系統地修改了七次。《原理》最初動筆是一八八一，初版一八九〇，最後第八版是一九二〇，由原來的七五〇頁增加到最後的八七〇頁。我的《經濟解釋》的修改是沒有系統的，有小修，有大修，也有從頭再寫——亂七八糟，皆因今天以電腦修改與排版遠比馬前輩昔日容易。在本書的最後我會列出小修、大修與重寫各卷的日期。

二〇一六年再按：因為過去兩年還不斷地在經濟問題上思考，得到好些有趣而又重要的新意，所以決定把整本《經濟解釋》從頭再修一次。本來打算再等一些時日才再修，因為還會有新思想無端端地在腦中浮現，但已經年逾八十，不應該再等。有原創性的思想，人的腦子不能刻意地啟動，但一旦啟動了則無從關閉！

屈指一算，《經濟解釋》的創作歷程約十六年。

神州版序

馬歇爾的《經濟學原理》（Alfred Marshall, *Principles of Economics*）初版於一八九〇，前後共八版，最後那版是一九二〇。這裡説的"版"是指版次（edition），內容動過，不是印刷的次數。研究馬氏思想的學者喜歡跟蹤每版之別，要知道改了些什麼，分析一下為什麼馬大師要那樣改。

我的《經濟解釋》分三卷出版：卷一《科學説需求》（初版二〇〇一年五月）；卷二《供應的行為》（初版二〇〇二年三月）；卷三《制度的選擇》（初版二〇〇二年十一月）。此後的"版"，其實是"刷"，因為沒有修改過。換言之，依馬歇爾的傳統看，我三卷本的《經濟解釋》在此之前只有一版。

這次修訂的"神州版"是第二版了。前後相隔近十年，要修改或改進或補充的地方不少。十年人事幾翻新，我對經濟解釋的體會有了長進，尤其是對經濟制度的體會，深入了不少。神州版的修訂是大興土木，卷一修改得比較少，卷二比較多，而卷三會是更多的。考慮了長時日才作出這樣的計劃與策略，但寫此"神州版序"時還沒有動工。我要先寫這個"序"，讓自己的思維有個好開端，才逐句逐段逐頁逐節逐章逐卷"修"下去。

提到馬歇爾的巨著，因為那是一個世紀前的經濟學，是英國傳統的一個重要里程碑，是我崇尚的基礎。我的《經濟解釋》從這基礎變化出來，改了很多，近於面目全非，但還是一脈相承的。當然認為是改進了。這是個人之見，行內的朋友可能不這樣看。同學們要找機會拜讀馬歇爾的原著，跟我這神州版的《經濟解釋》比較一下，判斷一下我選走的路是否像我那樣想，到今天還是那條路。

一位朋友曾經說，我的經濟學很正統，但今天不是主流了。他說的應該對，但為什麼會出現這情況呢？人家怎樣發展他們的思想是人家的事，難道馬歇爾的基礎可以發展出近於互不相干的不同學派嗎？還是四十年來經濟學的後起之秀沒有讀馬歇爾？

自己值得安慰的，是在經濟現象的推測上我比今天的主流準很多！不止此也，我對現象或行為的解釋從來不管什麼微觀宏觀，不管什麼貨幣不貨幣，展示的變化與能耐跟分門別類的有大人與小孩之別（一笑）。這是從斯密與馬歇爾的傳統通道走出來的學問玩意了。

推測（prediction）與解釋（explanation）有事前事後之分，科學上是同一回事。推測（或推斷）要有可以觀察到的驗證條件（test conditions），要有約束行為的理論，驗證條件有變則作別論。預測（forecast）是另一回事，我不懂。同學們學會了經濟解釋，不用再學也懂得經濟推斷。

一九六九年起我決定走自己的路，少讀甚至不讀他家之作，喜歡獨自思考。但一九六九之前我是個好學生，對傳統的學得用心，深受師友的影響。古典經濟學我重視斯密、李嘉圖、密爾；新古典重視馬歇爾、魯賓遜夫人、費雪。六十年代影響我的師友主要是八個，一律重視馬氏的傳統。母校洛杉磯加大主要影響我的有四個：Armen A. Alchian（阿爾欽）、Robert E. Baldwin（鮑特文）、Karl Brunner（布魯納）、Jack

Hirshleifer（赫舒拉發）。芝加哥大學主要影響我的也有四個，其實到芝大之前就受到他們的影響。他們是 R. H. Coase（科斯）、Aaron Director（戴維德）、Milton Friedman（弗里德曼）、George J. Stigler（施蒂格勒）。從求學際遇那方面看，我算是個天之驕子吧。

上述八位不僅重視斯密與馬歇爾，也重視經濟解釋。事實上，從這本書開頭引用的馬歇爾的一段話看，馬氏是個重視解釋的人。根據馬氏的回憶，一八六七至一八七五年他經常到現場觀察工業產出的運作。真實世界的觀察，加上無與倫比的天賦，促成了《經濟學原理》的誕生。弗里德曼説得對，馬氏的經濟學有內容！是指真實世界的內容吧。然而，以驗證的方法作解釋馬氏很少嘗試。事實上，英國當年的偉大經濟學傳統，對真實世界的考查很馬虎。不知何解，但基本上他們沒有足夠的資料作假説驗證。作為後學，我是純為驗證假説的需要而修改前賢的理論的。

上世紀三十年代，英國倫敦經濟學院的 Arnold Plant 執着於真實世界的調查。此君影響了他的學生科斯。我自己對真實世界調查的執着，可不是受到科斯的影響——認識他時我已經寫好了《佃農理論》——而是來自老師阿爾欽的教誨。指導我寫《佃農》時，在事實資料的引用上阿師沒有放我一馬，理由是他認為我是可造之材，要苛求！

一九六七到了芝大，那裡的圖書館是我用過最好的，而任何書籍找不到，他們會很快地替我從其他圖書館借來。我於是在芝大的圖書館玩了幾個月註腳追蹤遊戲，尤其是英國經濟大師 A. C. Pigou（庇古）的論著。這遊戲是見到某書的註腳説某事實資料來自何方，就追溯何方，何方説是來自哪裡，就追溯哪裡。得到的結果，是書中所説的所謂事實，大部分沒有依憑，有些書引用的全部是假。我因而得到這樣的觀點：最愚蠢的學者，是那些試圖解釋從來沒有發生過的事的君子們。我自己因而不相信一般的書，選擇某些認為可信的作者，更相信的是自己的觀察，到街頭巷尾跑的習慣開始了。

一九六九年的暑期回港度假，開始跑工廠（主要是調查件工），跑法庭跑屋頂（主要是調查香港的租金管制）。這經驗不僅使我對真實的世界有了直接的認識，而更重要是察覺到自己苦功學得的經濟理論，大部分不管用。數之不盡的真實現象找不到解釋。怎麼可能呢？當時行內的朋友一致認為我的價格理論有獨到之處，曾經在芝大的研究院教過價格理論，怎可以連一些日常生活的所見所聞也找不到解釋？自然科學不可能有這樣的尷尬。

當時得到的結論有兩個選擇。其一是放棄經濟學，另謀高就；其二是把學得的理論大事修改，而這修改必須有真實世界現象的支持。在街頭巷尾跑的收穫甚豐，理論與概念逐步改進，只幾年對解釋有奇效。一九六九暑期之前我對當時的傳統理論學得差不多，要發展自己的思想，繼續街頭巷尾的玩意心安理得。

今天，我對經濟理論的解釋力再沒有懷疑。世界複雜，我把經濟理論簡化到只剩需求定律。另一方面，概念要掌握得變化多而深入，因為那些所謂概念，其實是由人類行為的規律主宰的。至於那些分門別類的微觀、宏觀、貨幣理論等，原則一樣——都是人類在局限下的選擇行為的學問。微不足道的街頭巷尾所見，擴大後可能是重要的宏觀現象。真實世界的現象要知得多，因為理論的簡化與概念的掌握，要不斷地以不同的現象印證才可以學得怎樣用。

　　說過了，經濟學的實驗室是真實的世界，很麻煩，這種觀察為時甚久，年逾古稀我還在繼續。但我認為，這三卷本的《經濟解釋》可以減少後學的二三十年的時間。應該可以：我走了很多冤枉路，浪費了很多時間，左淘汰右淘汰，才獲得剩下來的今天自己認為是可靠可用的理論及概念。

　　任何學問都有很多不同的路可以走。經濟解釋也如是。有行家認為我的解釋不是解釋，倒過來，我也認為一些行家的解釋不是解釋。要選走我的路，還是他家的路，又或者要創立自己的，同學們要自己考慮了。

　　同學們不要單學我的。在起初的階段他家之說要跟進，但要快，彷彿落雨收柴。要記着，經濟學的主要用場是解釋世事，而世事的實情調查是很花時間的工夫，往往要用上九牛二虎之力，有時我逼着要染指一些生意。另一方面，如果同學沉迷於某些原理或技術上的發展，驚覺到不管用時，可能已經老了。經濟解釋的困難不僅是世事不容易拿得準，大部分的所謂理論是廢物。

　　《經濟解釋》集中在我個人認為大有用場的理論及概念，也花了好些筆墨解釋一些行內普及的理論及概念為什麼給我淘汰了。是一個老人家走過的路，同學們讀《經濟解釋》是跟着老人家走一趟。是一條走得通的路，通道是也，但不是唯一的。這是科學的本質吧。

　　上世紀七十年代初期，在西雅圖華大，諾斯（Douglas C. North）、巴澤爾（Yoram Barzel）、麥基（John S. McGee）等同事認為我有本領全面革新經濟理論，鼓勵我那樣做。當時大家對經濟學的解釋力不滿意，但想不到後來行內引進的"解釋"工具是六十年代大家放棄了的博弈理論。很不幸，博弈理論是無從以事實驗證的。

　　一九八二年我離開華大，回港任教職，放眼神州的經濟改革，轉用中文動筆。一九八九年在《香港經濟日報》寫《經濟解釋》，發表了十二期後母親在街上跌倒重傷，停筆照顧母親。二○○○年在《蘋果日報》續筆時，母親謝世八年了。

　　八十年代起，科斯對西方的經濟學發展愈來愈不滿意，屢次要求我把自己的經濟學在中國發展起來。我不是個改革者，不認為也不相信自己有什麼影響力。三卷本的《經濟解釋》二○○二年在香港出版後，傳到網上去，下載裝訂閱讀的內地同學無數。我知道那三卷本還可以大事改進，尤其是卷三《制度的選擇》。二○○七年為科斯的邀請寫好了《中國的經濟制度》的初稿，對制度的認識達到了一個沒有人到過的層面，知道中國的發展教我很多。

　　就是在思考《中國的經濟制度》的幾年中，我的感受，是科斯希望我能以一夫之勇在中國推出他喜歡的經濟學，從而把這學問反傳到西方，可不是憑空想像或幻想。在神州大地對經濟學有興趣的讀者實在多，聰明的同學無數，而西方的學子也頻頻學起中文來了。

　　斯密一七七六年發表的《國富論》，今天還有讀者。讀者壽命長生不死的經濟學論著只這一本。馬克思的《資本論》的讀者壽命長約一百一十年，了不起，中國的發展協助了馬氏的大作。再數下去應該是馬歇爾的《經濟學原理》：初版一八九○，一九六五之後讀者依稀。那是七十五年。我這三卷本的《經濟解釋》要從二○○○年算起，如果到二○七五年同學們還在讀，科斯的願望有機會實現。

　　寫《經濟解釋》是追求真理的示範，能帶起一些同學的興趣是錦上添花。能否增加作者的收入，或聲名，或傳世機會，一律無關宏旨。是難得的際遇：當年結交的師友——從阿爾欽到布魯納到赫舒拉發到弗里德曼到施蒂格勒到科斯到戴維德到諾斯到巴澤爾——皆認為研究經濟主要是真理追求。

張五常　二〇一〇年三月十九日

原序

一九七一年的一個晚上，午夜思迴，忍不住爬起床來，走到書桌前坐下，在稿紙上用英文寫呀寫的，寫了幾個小時。早上交給女秘書，隔行打字二十多頁。我為這文稿起了一個名目：《交易理論與市場需求》（The Theorem of Exchange and Market Demand）。於今回顧，那應該是我今天要寫的《經濟解釋》這本書的前身。

當年在西雅圖華盛頓大學任教職，文稿給幾位專於價格理論的同事看。他們讀後譁然，不約而同地說："是這樣簡單的理論，為什麼書本從來不是這樣說？"書本怎樣說是書本的事，要是我同意書本所說的，就用不着在午夜起來動筆了。歷久以來，書本所說的市場供求關係及那所謂均衡點的市價，都是以十九世紀經濟學大師馬歇爾（Alfred Marshall）的"剪刀"理論為依歸的。做學生時我老是不明白那"剪刀"是受到什麼壓力而在"剪"什麼，後來為人師表，教學生時自己還是不明白，胡亂地說一下，到後來要自己另尋分析。

華大的同事知道我歷來敬仰馬歇爾，但那文稿否定馬氏的"剪刀"，問我對馬氏是否改觀了。我說對馬氏佩服得五體投地，他是我的基礎導師，但馬氏對世事知得不夠深入，理論有時拖泥帶水，好些地方是可以改進的。我認為馬歇爾偉大，因為他的經濟分析有一個完整的架構，其中有內容。一個頂級大師，綜合了前人的思想，以自己無與倫比的天分，創立了一個架構，讓我這一輩有一個思想的輪廓。我在這架構的細節及內容上代為修改一下，是應該的吧。

對我影響很大的科斯（R. H. Coase）對馬歇爾也是五體投地。馬氏的巨著（*Principles of Economics*, 1890）的不同版本的小差異，科斯皆瞭如指掌。然而，科斯反對功用（utility）的概念，反對長線（longrun）與短線（shortrun）的概念，反對均衡（equilibrium）與不均衡（disequilibrium）的概念──這些概念大都是經馬歇爾發揚而變得家喻戶曉的。欣賞、佩服、反對，在科學上是沒有矛盾的。

回頭說上文提到的文稿，華大一位同事把它譜入他寫的課本中，說明是我的發明。一家美國出版商──Prentice Hall──的經濟編輯讀後，找到我"文稿"的原文，帶了合約來找我寫一本經濟學課本。那是一九七三年的事了。

該出版商給我的條件優厚，且說明不用看大綱、不用評審，我要怎樣寫也可以。這是難得的際遇，但我說從來不打算寫課本。然而，一九七三年間，美國因為石油問題及價格管制把經濟搞得一團糟，通脹急劇，而自己又有兩個還不懂得走路的孩子，要多賺點錢是人之常情。我於是叫出版商把合約留下來，讓我考慮一下。他要我先給他一個書名，我就在一張空白的紙上寫下：*Economic Explanation*（《經濟解釋》）。這本書我終於沒有動筆。

六十年代初期的洛杉磯加州大學，在經濟學上算不上是一個重鎮。奇怪的是，在那研究院裡我主要的四位經濟學老師──A. A. Alchian, J. Hirshleifer, K. Brunner, R. Baldwin──都着重於以假說（hypothesis）來解釋現象或行為。當時，除了芝加哥經濟學派（The Chicago School）外，只有洛杉磯加大認為解釋現象是經濟學的重點。

求學——學知識——也要論先入為主。當年在加大還有一件今天不容易相信的事。那就是卡爾納普（R. Carnap）在該校的哲學系教大學一年級的邏輯學，是關於科學驗證的方法的。卡爾納普是邏輯哲學大師，整個二十世紀無出其右！我當時不知道，但見成績比較好的同學都嚷着要去聽他的課，我就跟着去湊湊熱鬧了。一進課室，見到在人頭湧湧的大堂的最後一排，坐着一個老頭子。那是我們經濟系的大教授 K. Brunner。這使我意識到我是走進了一個金礦，於是用心地聽起課來了。那是一九六〇年，當時卡爾納普六十九歲。

"經濟解釋"這個名目，是從卡爾納普的教誨想出來的。他的課替"解釋"一詞作了明確的闡釋，屢次提到"科學解釋"（scientific explanation），而又深入淺出地介紹了那高不可攀的知識理論（theory of knowledge）。有高人指導，學問就是那樣迷人。

顧名思義，"經濟解釋"是說以經濟學的角度，用上科學的方法，來解釋現象或人的行為。在科學的範疇內，問題來來去去只有一條：為什麼？是的，"怎麼辦？"是工程學的問題，而"好不好？"則是倫理上的問題了。科學不問"怎麼辦"，也不問"好不好"。

毋庸諱言，在加大做研究生的第一年中，我花了起碼一半的時間研讀"福利經濟學"，寫過一篇獲獎但自己討厭的文章。那是關於"好不好"的問題了。回港任職後，以中文下筆評論中國的經濟改革，我作過多項建議。那是關於"怎麼辦"的問題了。明知不自量力，肯定自己半點影響力也沒有，但還作點建議，談談價值觀，是人之常情，用不着耿耿於懷的。引以為慰的，是自己歷來都能把不同類的問題分清楚，在思維上沒有混淆。

《經濟解釋》這本書，説的是關於"為什麼？"。我認為經濟學應該集中在這問題上，始於一九六三年。當時聽了幾個星期阿爾欽（Alchian）的課，就決定了在經濟學術上自己要走的路。我認為只有在"為什麼"這話題上可以作出一點貢獻。路是選對了的。三十多年來，我對自己建議的"好不好"或"怎麼辦"的外間回應，漠不關心。要是我以改進社會為己任，很可能活不到今天。

奇怪，"經濟解釋"這個名目與我結了不解緣。一九八二年回港任職時的講座就職演辭，我選的題目是《經濟解釋》。二〇〇〇年北京出版的我的英語論著的中譯結集，譯者問及，我建議的名目又是《經濟解釋》。

這裡動筆的《經濟解釋》，起於一九八九年我在《香港經濟日報》上所寫的專欄。寫了十二期後，遇到當年的北京學運，而母親又在街上跌倒，受了重傷，就停了下來，之後提不起勁再動筆。雖然只發表了十二期，但讀者的反應顯出那是我寫過的最受歡迎的作品。之後十一年，要求我續筆的數以百計。可能是因為那十二期寫得特別好。我衷心希望這次捲土重來，不會令讀者失望。

先此聲明，《經濟解釋》這本書不是課本。選修經濟的學生可以讀，也應該讀，但因為往往不依常規，學生考試時用上我的答案，不免凶多吉少。眾所周知的經濟學，不用我寫出來吧。

不要誤會，我絕對不會刻意地與眾不同。我是因為要集中在解釋世事上下筆，而逼着與眾不同的。經濟雖然是一門實證科學（empirical science），以解釋現象為出發點，但集中地那樣下筆的經濟學者不多。事實上，我對經濟學的認識是從朋友及老師那裡學回來的。我的貢獻是清除廢物，然後把剩下來的重新組合。引用的實例大部分是我自己的觀察所得。我喜歡用簡單的理論來解釋世事。我認為世界複雜無比，不用簡單的理論，能成功地解釋世事的機會是零。

話雖如此，《經濟解釋》不容易讀。這是因為若要真的解釋世事，簡單的理論往往要用得相當深。比方說，所有在中學選修經濟的同學都知道的需求定律——價格下降需求量增加——整本《經濟解釋》差不多來來去去都是那樣說，雖然"需求定律"這一詞我只在"卷一"多用一點。變化多，要懂得很通透才真的可以用。所以讀者要有一點心理準備：顯淺不過的理念我可能因為重要而寫上幾千字。

這本書不容易讀還有兩個原因。其一是選擇題材，我不會見"難"而卻步。題材的選擇是以趣味性及重要性為依歸，是深還是淺，我是不會考慮的。其二是我決定了一幅圖表、一條方程式也不用。經濟學鼻祖斯密（Adam Smith）在一七七六年所發表的《國富論》（*The Wealth of Nations*）完全不用圖表，我為什麼要用？他的書是古往今來最偉大的經濟學巨著，仿效他是刻意高攀了。今天的困難是雖然不用圖表，但什麼曲線等名字還是要提及一下的。讀過經濟的同學會知道我指的是什麼。門外漢呢？沒有見過什麼曲線就當它們不存在算了。只讀文字也會明白。不要因為某一節或某一章看不明白，就認為跟着而來的也不容易明白。某部分看不懂，跳到看得懂的地方吧。

《經濟解釋》既然發表於香港報攤上的刊物，當然是為一般讀者下筆的了。這是斯密的偉大傳統。我很想知道，今天的

數學方程式多於文字的經濟學，可不可以成功地"復古"。讓
我試試吧。

張五常　二〇〇〇年十一月一日

科學說需求
The Science of Demand

科學不是求對，也不是求錯；科學求的是“可能被事實推翻”。可能被事實推翻而沒有被推翻，就算是被證實了。

第一章：科學的方法

我坐在書桌前，拿起筆，想着人類在科學上的成就。科學是有系統地解釋現象的學問，很有意思。人為萬物之靈，一點不錯：我們腦子的發達，與其他生物相比，距離不可以道里計。感情的表達是藝術；理智的分析卻是科學的需要。人的感情往往與理智混淆。這樣，科學的推斷可能被感情左右，弄得拖泥帶水。另一方面，理智的分析可以點綴着一些情感，不混淆。是的，科學可以有藝術的美。

向美追尋是人之常情，所以科學也可以有藝術性，有藝術的美。但科學的本質可不是藝術，前者是以闡釋現象為主旨。另一方面，人到底是人，不能冷若冰霜，半點感情也沒有。因此，說某篇科學文章是一件藝術作品，是恭維的話了。問題是，僅僅是美而不能解釋現象，是美中的不足，失卻了科學的功能。科學家既然是人，我們不能期望他們是人類的例外，毫無感情，但感情是不可以在科學上濫用的。原則簡單：科學著作可以將客觀分析與主觀感情結合、並用，但二者要分清楚。只要能這樣做，科學文字倒可加上感情之辭，點綴一下，減少枯燥，增加其可讀性。

以經濟學來說，主觀感情與客觀分析的清楚劃分是比較困難的。不是不能做到，而是比自然科學——如物理、化學等——困難。經濟學是解釋人類行為的科學。困難是，經濟學者也是人，難免將自己的價值觀混在一起，甚至以主觀的喜惡作為科學上的結論。優秀的經濟學者在分析時有忘我之能；這是一心二用的本領了。天生有所不逮者，是要多加鍛煉的。

第一節：現象必有規律

我的書桌在窗旁。是深秋了。紗窗外，風搖翠竹。在人煙稠密的香港，窗外可以見到茂林修竹的環境不容易。杜甫寫的"無邊落木蕭蕭下"，香港的人見不到這景象也相信，那是為什麼？是深秋，這裡的竹還綠得可愛，那又是為什麼？今年的氣溫下降得較早，只不過十一月初，已寒氣逼人。兩個月前我在窗外還見到的蝴蝶，現在不知所終。但我知道，明年六月蝴蝶還會再來。我怎能這樣肯定呢？

窗是向東的。我每天在晚間寫作，沒有在書桌旁見到太陽的上升，有好幾年了。但我不用看見，也敢跟任何人打賭，早上我可以在書桌旁的窗外見到太陽。我見到海，知道海水是鹹的，也知道潮水的高低與"月有陰晴圓缺"有一定的關係。少年時，我是釣魚能手。見到海，我就想起釣魚樂事。釣者負魚，但卻知道魚的品性。月圓之夜，烏雲蓋天，是釣黃腳鯆的大好時機。這是規律。

人的行為也有規律

大自然的規律是任何識者都會同意的。人的行為又何嘗不是如此呢？向窗外遠眺，香港置地公司所建的置富花園的房屋，與政府所建的廉租的華富邨，一左一右。後者比前者人煙稠密，任何人都會同意，不用調查了。在這些住宅區中較近我家的碧瑤灣，人口的密度比置富的還小一點。較高級的住宅，人口密度較低。這是規律。在更近的山坡上，木屋三三兩兩。這些木屋很簡陋，是僭建的。僭建的房子沒有地權，比有地權的房子簡陋得多了。這也是規律。

是的，不管是大自然或是人為的現象，都有規律可循。事實上，我們不可能找到任何現象是完全沒有規律的——雖然有些現象，其規律要深入研究才能發現。現象有規律，自古皆然。我們知其然，但不一定知其所以然。既知其然，就很想知其所以然，這是人的好奇心。我們要作解釋，科學也就由此而起。

主觀判斷要客觀認同

科學的形成是基於三個重要的信念，任何對科學有興趣的人都要遵守。第一，凡是現象或行為，其存在是靠主觀的判斷，而大家不能在這主觀上有分歧。我說太陽正在上升，是我個人的主觀判斷，要是你不同意，認為太陽正在下降，那麼我和你就不可能一起科學地解釋太陽的現象了。我看見的是花，你看見的也是花；我說下雨，你也同意雨在下着，是科學一般化的第一個條件。當然，世界上有一些人，什麼也不同意。這些人非與科學絕緣不可。

奇怪的是，大家對主觀現象的認同，是莫名其妙地容易達到一致的。一個現象，就算主觀不同，同意這現象的存在也不困難。例如，有色盲的人，會同意某一種自己看不到的顏色的存在；失聰的人，聽而不聞，不會否認有聲音這回事。

主觀的現象受到客觀的認同、共信，是科學的一個基礎。然而，有些主觀的事不能為大眾所認同，難以共信，所以這些事是科學以外的了。例如，中國昔日常提及的特異功能，信者言之鑿鑿，但不相信的更多。我在北京曾看過最有名的特異功能的表演，認為假得離譜，就不相信了。特異功能是科學以外的事，不僅因為我不相信，也不僅因為很多人不相信，而是因為沒有人曾經嚴格地以考證的方法，使不信者信服。好比一些人相信上帝，另一些人不相信，而從來沒有人成功地證實上帝的存在。這不是說基督教或其他宗教沒有意義，而是說宗教非科學。

現象規律必有原因

科學的第二個信念，是前文提過的：所有被眾所認同的現象，都是有跡可尋，有規律的。某些現象的規律，要經過很大的努力才能發現或證實。經驗告訴我們，現象的規律一向都是那樣恆常不變，所以一個新現象的發現，雖然其規律不易找到，但從事科學研究的人，會堅信這規律的存在，百折不撓地尋求。

為什麼現象的規律是這樣重要呢？答案是：假若現象的發生毫無規律，完全是隨便或偶然（random）的，不可能知道與任何其他現象有聯繫，那麼這現象就不可能被有系統地解釋了。無跡可尋的現象，事前既無跡象，事後也沒有根據，好像是耶穌升天似的，不能以邏輯推斷。科學之所以成為科學，是因為世界上沒有毫無規律的現象。

這就帶來第三個必需的信念了。從事科學研究的人，一定要堅信任何事情的發生不會是無緣無故的。推測（不是預測）與解釋是同一回事。假若我們推測在某些情況下，由於某種緣故，某現象會產生，那麼這現象的產生就算是被解釋了。例如，蒼蠅的飛行速度及不上飛機，但因為牛頓的萬有引力，在機艙內蒼蠅可以向前飛。解釋蒼蠅在機艙內可以向前飛，與推斷蒼蠅在機艙外飛時不及飛機快，是用同一理論。假若蒼蠅與飛機的速度毫無規律，又或是這二者的速度在不同情況下無法比較，那麼我們就無從解釋機內或機外的飛行現象，科學又從何說起呢？

主觀的現象要被眾所認同，須有固定的規律，而其發生或出現，是必有原因的。這些是科學的必需條件。

第二節：事實不能解釋事實

在科學上，現象（phenomenon）、事實（fact）、行為（behavior）或觀察所得（observation）是同一回事——雖然有些現象是不能用肉眼觀察到的。

解釋現象往往需要非事實的抽象理論。為什麼事實的解釋要牽涉到抽象的思想那方面去呢？答案是：事實的規律不能不言自明，自我解釋。天下雨，天上一定有雲——這是現象的規律——但雨的出現不能解釋雲的存在。小麥在泥土中生長——這是規律——但泥土不能解釋小麥。權利界定帶來經濟繁榮——這也是規律——但繁榮不能解釋為什麼有資產的權利界定；二者倒過來說，也沒有解釋力。事實的規律只可以使我們知其然，不能使我們知其所以然。

假若甲現象的發生會連帶着乙現象的發生，而我們跟着說甲解釋了乙，或乙解釋了甲，我們會有兩個困難。第一，世界上的現象規律何其多也。數之不盡的現象規律，如果真的能自我解釋，那麼在任何一門科學之內，理論汗牛充棟，各各不同，沒有一般性的解釋力。如果一個現象能解釋另一個現象，那麼只要現象的規律發現了，我們以為這規律有了自我解釋，那麼人的推理思想又有什麼用場呢？第二，有規律的現象，在不同的情況下，其規律的表現可能會改變。例如，羽毛應該下降，但在風中可能上升。如果以風解釋羽毛的上升，那麼有風而石頭不上升又怎樣了？我們應該以什麼原則來分門別類呢？

我們要找的原則，是一個科學的原理或理論。我們可以說，科學的一個用途，是將現象分門別類，作有系統的安排。

布魯納（K. Brunner）說：事實不能以事實解釋。弗里德曼（M. Friedman）說：事實的規律是要被解釋的。在經濟學界內，說得最好的還是馬歇爾（A. Marshall）："這些爭議的經驗告訴我們，除非經過理智的考究與闡釋，我們不可能從事實中學得些什麼。這也教訓了我們，使我們知道最魯莽而又虛偽的，是那些公開聲言讓事實自作解釋的理論家；或者無意識地，自己在幕後操縱事實的選擇與組合，然後提出如下的推論：在這之後，所以這就是原因。"

第三節：特殊理論與套套邏輯

我們知道，同一件物品，在很高的山上其重量是會減少的。地心吸力的理論解釋了這個現象。但在牛頓之前，人們會怎樣想呢？我們知道在很高的山上，氣溫會下降，於是我們說，寒冷的溫度，由於某些緣故，會使物體的重量減少。這是理論。要證明這理論是對的，我們把同樣的物品拿到海平之地，把它放在冰凍的房內，衡量其重量，發覺重量沒有減少，那麼溫度與重量之說就被推翻了。

下文將會解釋，凡是有解釋能力的理論，一定要有被事實推翻的可能（refutable by facts），但卻沒有被事實推翻。以溫度下降來解釋物體重量減少這個理論被事實推翻了，我們應不應該視之為錯呢？這是一個重要的哲學問題。

假若我們不管其他情況，任何被事實推翻的理論看為是錯，那麼所有理論都是錯了的。那不成。被事實推翻了的理論可以挽救。以物體在高山的重量來說，溫度下降之說被推翻了，但我們可以説，在高山上，不僅氣溫較低，風也較大。於是，我們再作實驗，將同樣的物品放在冰寒之室後，加上風扇，再衡量其重量。這一衡量，又發現那溫度之説是被推翻了的。

我們再接再厲，指出高山上的山坡是傾斜的。於是在有風扇的冰室內加上斜板，將物品安置在斜板上衡其重量，又發覺溫度之説不可信。絕不氣餒，我們繼續指出高山的位置海拔上升。於是，我們耗巨資，將冰室高築至雲霄。終於，我們重複了高山上的情況，有冰寒，有風扇，有斜板，有高度，物體的重量果真少了，所以溫度的理論是被證實了的。這個理論沒有錯，但卻是一個特殊理論（ad hoc theory）。特殊理論也是理論，不過因為過於特殊，一般性的解釋能力就談不上。不是因為理論的內容不足，而是內容太多，以致內容稍為一改，理論就被推翻了。

過於特殊代價太大

任何科學理論，即使被事實推翻，我們總可多加條件來挽救的。但挽救理論是須付代價的。過大的代價不應該付。一個特殊得只能解釋一個現象而完全不能伸展到其他現象去的理論，毫無一般性的功能，解釋力小之又小，其代價是太大了。被事實推翻了的理論可以挽救，也往往應該挽救，但不應該付出過大的代價。代價是否過大的衡量準則，是要基於一般解釋力的大小。大小有程度之分。我們不應該見一個理論的解釋力不夠廣泛就放棄它──今天不夠廣泛的理論，明天可能有較廣泛解釋力的取而代之，但在此之前，不夠廣泛的理論可能是最有用途的了。

世界上有真理，但沒有不可以被更佳理論替代的理論。科學的進步，不是因為對的理論替代了錯的，而是有較廣泛解釋力的，替代了較狹窄的。人的思想可以進步，今天認為是絕佳的，明天可能被更有用場的替代了。今天，我們還未能為人類的思想能力畫上句號。二戰以來的科學突飛猛進，使我們有理由相信，人的思想所及可能永無止境。

一個特殊理論，若是特殊到只能解釋一個現象——如上文所述的例子，只能解釋某物體在高山上的重量——是站在科學理論的一個極端，完全不能一般化，用場極少。站在另一端，卻是一般化得離譜，在任何情況下也不可能是錯的"理論"。不可能錯，因為沒有內容。這就是哲學上所說的套套邏輯（tautology）了。特殊理論內容太多了，而套套邏輯則沒有內容。可取的理論，一定是在特殊理論與套套邏輯之間。

套套邏輯可以空洞無物

所謂套套邏輯，是指一些言論，在任何情況下都不可能錯。說得更嚴謹一點，套套邏輯不可能被想像為錯！舉一個例，假若我說："四足動物有四隻腳。"這怎可能錯呢？句子內的後半部重述了前半部的意思，即使我們花很大工夫也不可能想像到在怎樣的情況下會是錯的。在地球上、火星上它不會錯，在宇宙任何地方它也不會錯。這句話的一般性屬害，但內容究竟說了些什麼？其實什麼也沒有說！我們想破腦袋也知道是對的，但不知其內容。那是說，套套邏輯的內容是空洞的，半點解釋能力也沒有。

一般而言，套套邏輯不是"四足動物有四隻腳"那麼簡單，那麼一目了然。空泛而沒有內容的，而又不可能錯的"理論"多的是，很多時大學博士也不易察覺。且讓我舉些例子吧。

在經濟學上，一個不可或缺的基本假設是：每個人的任何行為都是為自己爭取最大利益。然而，一個人抽煙或跳樓，卻對自己有害。假若我們說抽煙或跳樓的行為，是因為"爭取個人最大利益"，那就是套套邏輯了。在這假設下，任何行為都算在其內，以"爭取個人最大利益"來"解釋"抽煙或跳樓，不可能錯，因為假設的本身是一般地包括了人的所有行為。如果所有人的行為都是定義地、空泛地被解釋了，整個經濟學就沒有什麼內容。

舉另一個例子。有一位經濟學者，試圖以事實考證私營企業的生產成本是否該企業所能做到的最低成本。根據經濟學的定義，所有私營企業，為了要圖私利，必定會盡可能減低生產成本。於是，這位學者所試圖考證的是套套邏輯，不可能錯，但沒有內容，因為定義本身不容許有可以減低生產成本而又故意不減低的行為。弗里德曼（Friedman）對這位學者的考證工作，可圈可點地下評語："愚蠢的問題，當然會得到愚蠢的答案！"什麼是愚蠢的問題呢？不可能有第二個答案的問題——或答案不可能是錯的問題——就是愚蠢了。

是的，套套邏輯不一定膚淺，往往不是一目了然，有時飽學之士也看不出來。四十多年前，一位哈佛大學的研究生拿到經濟學博士銜，其論文獲該校選為最傑出並頒以獎狀。後來該論文出版成書，大事宣揚。阿爾欽（A. A. Alchian）讀後寫的書評更有名。阿氏精闢地指出，獲獎的整篇論文都是套套邏輯，不可能錯，沒有內容。這書評使哈佛尷尬之極。試想，一個博士生的套套邏輯，可以使大名鼎鼎的哈佛經濟學系的高手教授也看不出來，我們又怎可以低估這種邏輯的"高深"呢？

套套邏輯可以是重要概念

我說套套邏輯不可能錯，沒有內容，但並沒有說這種言論不可能是重要的概念。事實上，很多重要的科學理論，是來自不可能錯的套套邏輯提供的觀點或概念的。套套邏輯有一點可取特色：它有極大的一般性。假若我們能把範圍加以約束、收窄，有時可以促成一個有內容的——可能錯的——理論，其解釋能力之強，令人拍案。

在經濟學內我們可以舉出一些例子。例如上文所提及的"爭取個人最大利益"與抽煙，把這二者天經地義地——好像下定義似的——混為一談，是套套邏輯，沒有內容；但如果我們能加進一些約束條件（即局限條件），使我們能推斷在什麼情況下一個人會多抽煙、少抽煙，或戒煙，那麼理論就有內容，可以驗證。

另一個更為明顯的、從套套邏輯變為大有用場的理論的例子，是貨幣學說中的幣量理論。這理論的起點分明是套套邏輯：貨幣量（M）乘貨幣的流通速度（V），等於物品的價格（P）乘物品的成交量（Q）。這個 MV = PQ 的方程式不可能錯，是因為前者（MV）與後者（PQ）只不過是從不同角度看同一數量。既然不可能錯，這方程式就成為一個定義，可以寫為 MV ≡ PQ 了。很顯然，這定義沒有解釋什麼。然而，因為提供了一個看世界的角度，有啟發力，如果能適當地加以約束，就變為重要的幣量理論，大有解釋力了。費雪（I. Fisher）、弗里德曼等學究天人，成功地指出在什麼情況下貨幣的流通速度（V）大致上是固定的，繼而指出幣量（M）與價格（P）的連帶關係。幣量理論搞出千變萬化，異彩紛呈，歸根究柢，還是源於一個套套邏輯的概念。

　　有人說，四十多年來在經濟學大行其道的科斯定律（Coase Theorem）是套套邏輯。我認為科斯定律大有用場，是因為識者可以技巧地加上約束，千變萬化，推出不少具有解釋現象能力的假說。同是套套邏輯，到了本領不同的人手上，會有截然不同的威力。那些批評科斯定律是套套邏輯而置諸度外的人，不知天高地厚。至於科斯定律是什麼，我們要到本書的卷四才詳盡地分析。

　　我們可在特殊理論及套套邏輯這兩個極端之間下些結論。特殊理論內容過多，只能特殊地解釋一個現象，沒有一般性的解釋力。但特殊理論總要比完全沒有理論好。凱塞爾（R. Kessel）說得好：“沒有任何理論在手，什麼辯論也勝不了。”只能解釋一個現象，是比一個現象也解釋不了優勝的，雖然可取的科學理論，必定有一般性；不然的話，理論多如現象，豈不是亂七八糟了？

　　另一個極端是：套套邏輯廣泛之極，不可能錯，但如此一來，其內容就變得空洞，不着邊際。套套邏輯的解釋能力，比特殊理論還有所不如。但套套邏輯可以是重要的概念，可以有啟發性，可能給我們提供一個新的角度看世界。認為套套邏輯內容空洞而置之不理，可能走了寶。我們不要放棄一個新的角度看世界，要嘗試加上約束或局限條件，為套套邏輯增加內容，希望能把“定義”變為可以解釋現象的理論。

　　大有可取的、足以解釋世事的理論，永遠是在特殊理論與套套邏輯這兩個極端之間。科學的進步，往往是從一個極端或另一個極端開始，逐步地向中間發展的。

第四節：可能被事實推翻的重要性

假若同學問：在整個科學方法的結構中，哪一點最重要？我會毫不猶豫地回答：理論的推測一定要可能被事實推翻。不可能被事實推翻的理論，是沒有解釋能力的。可以說，所有實證科學（empirical science）的主旨，是要創立一些可能被事實推翻的句子或言論來作推測的。換言之，科學不是求對，也不是求錯；科學求的是可能被事實推翻。可能被事實推翻而沒有被推翻，就算是被證實（confirmed）了。前文說過，推測現象的發生與解釋現象是同一回事。推測可能被現象推翻，但卻沒有被推翻，現象的發生證實了推測，那麼這現象就算是被解釋了。當然，一個現象可以有多個理論解釋。我將會在下文談及不同理論的取捨問題。

這裡我要說的重點是：不可能被事實推翻的理論之所以沒有解釋能力，是因為這樣的理論不可以被事實驗證。套套邏輯不可能錯。既然不可能錯，怎可以被事實推翻呢？一個可能被事實推翻的理論，一定要可以在想像中是錯的。套套邏輯不可能錯，連在想像中是錯也不可能，所以沒有解釋力。除套套邏輯外，我們還可以指出其他四種情況，可使理論不能被事實推翻，因而廢了理論的解釋力。這些是本章第五節及第六節的內容。

可能被事實推翻是重要的。如果一個理論的推測被事實推翻了，我們只有兩個選擇。其一是放棄理論，找其他的；其二是附加條件以便挽救，但正如前文談特殊理論時談及，這挽救要付代價，而代價是不應過大的。今天可能被事實推翻而沒有被推翻的理論，明天可能晚節不保——這是科學進步的過程。但今天還沒有被推翻，今天有其用場。解釋現象的用場是衡量理論的最重要準則。理論不應該以對或錯來衡量。

驗證含意的基礎原則

以句子或言論作推測，是用可以被驗證的含意（testable or refutable implication）為主。這些含意是由理論推出來的。邏輯上，含意的規則簡單：假若 A 的發生含意着 B 的發生（A → B），那麼 B 的不發生就含意着 A 的不發生（Not B → Not A）。這是最基本的驗證方法。舉個例：下雨（A），天上必有雲（B），其含意是：沒有雲（Not B），必定沒有雨（Not A）。如果沒有雲卻有雨，那麼下雨（A）必有雲（B）的假説就被事實推翻了。

驗證一個理論含意的方法，是以事實反證。這點重要。要驗證下雨必定有雲這個含意（驗證 A → B），是要以沒有雲就沒有雨（Not B → Not A）的事實作反證。以沒有雨就沒有雲（Not A → Not B）來驗證，是一個常見的謬誤，邏輯學稱"否決前事的謬誤"（fallacy of denying the antecedent）。A 的發生含意着 B 的發生，A 的不發生完全不含意着 B 會怎樣。説沒有 A 就沒有 B，是謬論，中此計的學者不少。例如，經濟學假設每個人都會為自己爭取最大利益（A），所以在某些局限條件下，每個人都會努力工作（B）。有些學者認為人不一定爭取最大利益（Not A），所以在同樣條件下每個人不一定努力工作（Not B）。這是謬論。

一九四六年，一個名為萊斯特（R. A. Lester）的經濟學者，發表了一篇舉世矚目的文章。他調查波士頓的私營運輸公司僱用司機（駕駛員）的政策後，直指經濟學大有名堂的"邊際生產理論"是錯了的（"邊際"一詞，過些時才闡釋，這詞於此不重要）。根據經濟學的假設，每家私營企業會設法爭取最高的利潤，所以在僱用貨車的駕駛員時，在邊際上一個駕駛員的生產貢獻所值會等於他的工資（這是"邊際生產理論"的一個含意）。萊斯特遍問波士頓的運輸公司的主事人，發覺他們不知也不管"邊際產量"何物，所以這定律是錯了：駕駛員的工資，不會等於他們在邊際上的生產價值的。這是上文所說的沒有雨就沒有雲的謬誤。萊斯特這篇文章觸發了經濟學的科學方法大辯論，歷時約二十年。

錯的假設可以推出真理

我可以舉一個有趣（但非事實）的例子，來說明"A → B，所以 Not A → Not B"這個謬誤。話說有一群人，每個都是白癡，對世事茫然不解。經濟學者卻假設他們每個人明智地爭取最大的利益。事實上，這些人都是白癡，所以這個經濟假設顯然是錯了。這些白癡聽說汽油站很好玩，於是每個人都開辦油站了。因為是白癡，他們之中有些把油站建在荒山之上，有些建在密林之中，也有些建在海上的。沒有公路汽車經過，油站怎可以生存呢？但他們當中有幾個同樣的白癡，卻糊裡糊塗地把汽油站建在公路旁。過不了多久，適者生存，不適者淘汰，只有在公路旁建油站的白癡能生存。事實上，他們是不知自己所為的。經濟學者假設他們懂得怎樣爭取最大利益，顯然是錯了，但適者生存的油站，卻剛剛與爭取最大利益的假設不謀而合。假設白癡懂得怎樣爭取利益雖然錯，卻準確地推測了油站建在公路旁，行為於是被解釋了。說他們不知所為，所以油站不會建在最有利可圖的地方，是謬論。

中國古代的天算學了不起，推測日蝕、月蝕的時刻很準確。這學問究竟為何我沒有考究，但中國的孩子聽過"天狗吃太陽"這個傳說。以"天狗"這個假設來解釋日蝕或月蝕當然是無稽之談，但如果推測得準，沒有被事實推翻，就不妨接受了。我們今天的日蝕、月蝕理論替代了中國古時的，不是因為今天的對而昨天的錯，而是今天的有較大的一般性，可以多解釋天體中的其他現象。說不定到了明天，今天的理論可能被證實是錯了。套套邏輯是絕對的，但沒有解釋力。有解釋力的理論可能錯，更重要是可能被事實推翻。不管是對還是錯，有解釋力的理論就是有用的理論。說沒有天狗吃太陽，所以不能以此推測日蝕的發生，是謬論。我們要將問題分得一清二楚。

第五節：模糊不清與互相矛盾

可以解釋現象的理論，必然有被現象（事實）推翻的可能。這是實證科學的座右銘。我在前文不厭其詳地提及，像套套邏輯那樣的、不可能錯的"理論"，因為不可能被事實推翻，沒有解釋力。然而，除了套套邏輯，還有四種情況會使一個理論免於被事實推翻的可能。這裡先談兩種；下節談餘下兩種。

首先要談的，是我曾打趣地稱之為"科斯第二定律"。在他那篇發表於一九六○年的石破天驚的鴻文（世稱"科斯定律"即源於此）中，科斯提出了一個人所共知，但在此以前沒有人明顯地提出來的哲理。在千方百計地試行理解庇古（A. C. Pigou）的經濟分析但總是不明所指之後，科斯寫道："模糊不清的思想，是永遠不能清楚證明是錯的。"

清楚地可能錯才能驗證

是的，概念或分析模糊不清，不可能清楚地錯，所以不可能清楚地被事實推翻。要有被事實推翻的可能，一個先決條件是：理論的本身要清楚地顯示有錯的可能。"下雨有雲"可能錯（但從來沒有錯）；"春天開花"可能錯（也從來未曾錯過）。但假若我們不清楚什麼是雲，怎樣才算是春天，對或錯又從何說起呢？

在經濟學上，模糊不清的概念多的是，無法以事實驗證的理論——不可能清楚地被事實推翻的——層出不窮。馬克思的《資本論》是例子。剩餘價值究竟是什麼？一些學者説是租值，一些説是利息，一些説是利潤，另有一些説是完全沒有這樣的一回事。説來説去都不清楚。馬克思説"剩餘價值"是資本家付工資後所餘下來的，但其他生產成本還沒有被全部減除，又怎可以説是剝削工人之所得呢？《資本論》中的"資本"概念也模糊。後者要到上世紀三十年代才由費雪解釋得清楚（見卷二《收入與成本》）。

馬克思的理論從來沒有人試將事實加以驗證。中國當年不驗證不奇怪，但為什麼西方的學者也沒有將馬氏的理論付諸驗證呢？答案是：模糊不清的理論，是不能被驗證的。很不幸，不可能錯的理論，往往被一些盲目附從的人認為"不錯就是絕對"。

模糊不清的概念或理論，當然不是馬克思獨有。馬氏之前的天才李嘉圖（D. Ricardo）——此公對馬氏影響甚大——就搞不清楚資本及成本的概念，以致他的工資與租值分析使後人看得不明不白。近代大師如奈特（F. H. Knight）——他有五個學生獲得經濟學的諾貝爾獎——也中了模糊不清之計。奈特把風險（risk）與不確定性（uncertainty）一分為二，但我們想來想去也不知有什麼分別。

凱恩斯的《通論》也是模糊不清，所以該理論的某些重要部分，沒有人敢誇言曾作驗證。功用（utility）理論的鼻祖邊沁（J. Bentham），主觀地以功用為快樂，後人不知所指。近人阿爾欽問："什麼是功用？"也就成了名。邊沁的功用理論模糊不清，不能被事實驗證；但到了阿爾欽之後，驗證功用理論的研究屢見不鮮。（作為阿師的入室弟子，我不用這概念作解釋。是後話。）

互相矛盾沒有意義

模糊不清的概念或分析，不可能被清楚地證明是錯，因而沒有解釋力。另一種不能被推翻的理論，是沒有意義（meaningless）的那一種。沒有意義並非空洞（不像套套邏輯），並非模糊不清，而是因為言論互相矛盾，在邏輯上前言不對後語（inconsistent），使人不知所指，無法知道所說的是什麼，因而變得沒有意義了。

舉一些例子吧。假若我說："一幅全白的牆壁有黑點。"這句話不空洞，也清楚之極。但"全白"與"黑點"互相矛盾，不能共存，這句話就沒有任何意義了。邏輯學可以證明，全白而又有黑點的牆壁，可以使人指鹿為馬，說牆壁是上帝！（這邏輯推理不淺，因為是經濟學之外的學問，這裡不多花筆墨。）矛盾的言論可以有內容，可以很清楚，但不可能有意義。

在經濟學上，矛盾百出的理論多的是。像套套邏輯那樣，矛盾不一定輕易發覺。我的論文《佃農理論》，推翻了前人的觀點，指出前人之見屢有矛盾。例如：艾沙域（C. Issawi）的理論是基於每個人都要爭取利益的，但他卻寫道："在這文內我並不明顯地假設：地主們不會對經濟收益作出迅速的反應，不會意圖用增加投資的辦法來增加他們的收入。"這不是矛盾是什麼？又例如，大師馬歇爾分析佃農制度時，明知固定租金比佃農分成租金的收益大，卻沒有容許地主選取固定租金的制度——雖然馬氏知道這兩個制度是並存的。

諸如此類的矛盾分析，在經濟學名家的著作中往往見之。

包莫爾（W. Baumol）説一個壟斷企業並非爭取最大利潤，而是爭取最高銷售，但他的理論不容許企業放棄少許銷售量來換取很大的利潤。希克斯（J. Hicks）指出，當一個人的收入增加，這個人對某些產品的需求可能下降。這沒有錯。但希氏在分析這問題時，所用的模式是一個只有兩種產品的世界，而在這世界中，收入的增加是不會導致兩種產品之一的需求量下降的。任何科學皆屢有矛盾的困難；經濟學不例外。直接的矛盾不難發現，但間接的──那些經過一重或多重推斷的──即使高人也往往避不了。

第六節：非事實與無限制

我重複地申述了"理論要有被事實推翻的可能性"的重要。我也指出套套邏輯，或模糊不清，或互相矛盾的理論，是不可能被事實推翻的。最後還有兩種沒有解釋力的"理論"，不可能被事實推翻的。其一是用以驗證的現象，並非事實；其二是被推斷會發生的現象沒有限制。

不能觀察無從驗證

假若我説："天下雨，天上必有雲。"在這句話之內，"雨"和"雲"是事實，是可以觀察到的。但假若"雨"或"雲"只不過是空中樓閣，並非事實，那麼雨雲之説就無從驗證了。這其中包含着實證科學的一個不淺的哲理。凡是有解釋力的推斷，其考證方法必須有如下一類的含義：假若甲發生，乙就會跟着發生──而甲與乙皆是可以觀察到的事實。起碼在原則上，不管考查費用多大，時日多久，甲與乙的存在是要可以被證實的。愛因斯坦的相對論及遺傳學裡的基因理論，其含意起初難以事實驗證，但後來還是證實了的。

問題是，正如前文所述，事實不能解釋事實。甲的發生不能解釋乙的發生。甲與乙的規律只可以用作證實某一個理論的含意。就算事實的種類再多，可以予取予攜，而規律明顯之極，它們也不能自作解釋。所以，在另一方面，有解釋力的理論往往起於抽象的思想，以某些非事實的假設入手，然後經過邏輯的推理，引申出可以被驗證的含意——後者就是雲雨之說了。

工程不容易。一個可以被驗證的含意，要有被事實推翻的可能；但事實不能自作解釋，而抽象理論的本身是不能被驗證的。可以說，從抽象推理到事實驗證的微妙轉折中，高手與庸材的本領會分得很清楚。

要附加條件挽救非事實的需求量

讓我舉個基本例子吧。在經濟學上，那不可或缺的需求定律說：假若一種物品的價格下降，消費者對那物品的需求量會增加。價格及其變動是可以觀察到的，但需求量卻非事實！需求量是指消費者的慾望或意圖的需求，是抽象之物，在真實世界不存在。所以，需求定律本身不可能用事實驗證。然而，這定律在經濟學上是重要而不可或缺的。低能之輩，往往以市場的成交量作需求量。這是指鹿為馬，當然錯。正確的處理方法大為不同。我們要說：假若需求定律是對的話，那麼依照邏輯推理，在某一種可以觀察到的情況下，甲的發生會導致乙的發生，而甲與乙都是可以被觀察到的事實（這就是本身不可以被驗證的需求定律所推出來的可以被驗證的含意）。假若乙的不發生卻有甲的發生，那麼需求定律就大有問題——或需要附加其他情況，或算是被事實推翻了。假若"非乙"就一定"非甲"，需求定律沒有被推翻，可以看為解釋了甲與乙的規律。

　　是的，這樣的推論及驗證可以搞得高明、巧妙，令人嘆為觀止。這是科學上的美。需求定律的驚人解釋力，在本書內我會不厭其詳地示範。這裡要申述的，是上述的附加的情況可多可少，千變萬化。在科學方法上，附加的情況叫作驗證條件（test conditions），經濟學稱局限條件（constraints）。有時我們可以說，假若甲與乙的出現，或甲或乙的出現，會導致丙的出現。我們又或可以說，甲的出現，會導致乙與丙的出現，或乙或丙的出現。這些可變的觀察（variables）可多可少，可以同時出現，或在幾個或多個可能的觀察上，其中之一或二或三會出現。這些都符合有解釋能力的理論的規格。不論驗證時所牽涉的現象多或少，一個限制是必需的。

無限制的例子

　　李俊慧同學要求澄清"無限制"的意思，那就讓我舉價格管制的例子吧。如果一種物品之價被政府管制在市價之下，傳統的分析說排隊輪購會出現，或搞人事關係會出現，或以武力決定勝負會出現……。這些可能替代市價的競爭準則如果沒有限制，我們不可能解釋或推斷價格管制會帶來什麼現象，即是我們無從解釋價管帶來的現象。我在一九七四年發表的《價格管制理論》，就是用以推斷在價管下我們要怎樣處理才能把競爭準則從"無限制"約束為"有限制"——見卷四第四章第三節。

均衡的闡釋與物理學不同

　　假若我們說，甲的出現會導致乙，或丙或丁或戊……等等的出現，好像永無止境似的，那麼這個含意就不能被否定或推翻了。嚴謹地說，這是經濟學理論中的所謂不均衡（disequilibrium）的情況。有現象限制因而肯定，從而獲得可能被否定的含意，叫作均衡（equilibrium）。

　　上述的均衡與不均衡的理念，與傳統上大談均衡理論的經濟學者所用的不同。我認為在基礎上他們錯了。經濟學傳統說的均衡，是從物理學搬過來。物理學的均衡，是指一個鐘擺在止動時會停在中間，或一隻雞蛋在地上滾動後達到了一個不動的靜止點，又或是一件不停的物體進入了一條軌道，有了規律。這種均衡是一些現象，是可以觀察到的事實。

　　經濟學的均衡是另一回事。例如，經濟學者說需求曲線與供應曲線的相交點是均衡點。但世上沒有需求曲線或供應曲線——這些只不過是經濟學者想出來的概念工具。那是說，沒有經濟學者，這些概念工具不會存在。同樣，經濟學上所說的均衡或不均衡也只是概念，在真實世界不存在，不是現象或事實，是不可以觀察到的。經濟學者把物理學的均衡搬過來，但物理學的均衡是可以觀察到的事實，經濟學者的誤解往往把他們的分析弄得一團糟。

科斯當年同意我的均衡闡釋

　　一九六九年的春天，科斯和我從溫哥華駕車到西雅圖，在兩個多小時的旅程中他和我辯論關於經濟學的均衡概念。他認為均衡與不均衡皆空中樓閣，是廢物，應該取締。我同意空中樓閣這個觀點，但認為均衡與不均衡在經濟學上既然那樣流行，作為概念我倒可以挽救一下。

　　我向科斯指出不均衡可以解作因為被推斷的現象沒有限制，理論因而缺少了可能被事實推翻的含意，而均衡則是指因為有限制而達到可以驗證的理論。這就是上文所說的"無限制"與"有限制"的區別了。科斯當時同意這闡釋可以挽救在經濟學上應該是廢物的均衡與不均衡。那是四十多年前的事了。今天，明白而又同意這理念的經濟學者，不及兩掌之數。

　　抽象的理論，本身不能被事實驗證。抽象的理論要有解釋力，必須有可以被事實驗證的一個或多個含意。可驗證的含意，要有被事實推翻的可能，而含意中的附加條件及現象的推斷，可以很多，而又可以用肯定的"與"字或不肯定的"或"字來聯繫，但不可以是無限的。當然，肯定的"與"比不肯定的"或"強，有較大的解釋力，而抽象的推理及驗證的含意愈簡單，就愈有說服力。天才的科學家可以把很複雜的事情簡化得令人折服。

第七節：理論的真實性

　　因為事實不能以事實解釋，以理論解釋現象，在某程度上一定是抽象的。抽象的概念非事實。這引起不少人認為理論與真實（reality）脫了節，只是誇誇其談，空泛之極，是沒有用途的。"真實主義"（realism）就成了一個很大的爭論。今天，這爭論已平靜下來，但我們還是應該澄清的。

　　"真實"有多種意義；若不搞清楚是哪方面的，爭論就永無止境了。抽象的概念當然不是事實，要說"理論"並非真實是可以的。但有解釋力的理論，其最終目的，是要牽涉到事實的驗證或推測那方面去。所以我們也可以說，有實用性的理論是有其真實性的。有好些理論，我們無從推出可以驗證的含意（例如五六十年代經濟發展學中的多種理論），所以怎樣說也不過是一些遊戲，與真實世界無關。

三種非真實我們接受

　　然而，有解釋力的理論的非真實性，起碼有四種意義，其中三種很膚淺。第一，理論本身必定有抽象的成分。說它非真實，當然是對的。但說它非真實所以沒有解釋力，卻是錯了。

因為事實不能解釋事實，沒有抽象的起點，世事一般解釋不了。第二，所有事實或觀察的描述，一定要簡化——這簡化使事實變得非"真實"了。這是平平無奇的吹毛求疵的觀點。以一個蘋果為例吧。假若我們真的要詳盡而全面地描述一個蘋果是怎樣的物品，我們窮舉世的紙張也不可能辦到。單是描述蘋果的色素及形狀——姑勿論其味道或所含的維他命——就難以絲毫不差！在吹毛求疵的要求下，天下間沒有一個現象或事實的描述是真實的。然而，以這種辦法來批評科學的考證——這種人有的是——不是科學的態度。

　　第三種非真實，也是由簡化而起。世界很複雜；簡化的假設（與思想上的抽象假設不同）是必需的。但這簡化的目的，只是為了便於處理；取消這簡化不會影響效果，無關宏旨，所以是容許的。例如，我們說假若世界上有兩個國家（其實不止此數，所以非真實），他們互相貿易會帶來什麼效果，等等。將兩個國家改為三個或四個，其效果大致上沒有什麼不同。當然，在某些特別的問題上，將二改為三會有不同的效果。這樣，要研究這些特別的問題，二與三之別就不能置之不理，但另一些簡化也是需要的。

驗證或局限條件要有其真實性

　　最後一種"非真實"就不膚淺了。前文提及過的附加的驗證條件（test conditions），很多人把它作為一種假設。這種假設當然會因簡化而變為不真實，但我們決不能視之為空中樓閣，當作是思想上的抽象而與真實的世界脫離了的。驗證條件的假設一定要有跡可尋，無論怎樣簡化，也一定要與世界的真實情況大致吻合。例如，作化學實驗時需用一支清潔的試管（清潔是一個驗證條件），我們不能用一支骯髒的試管而假設它是清潔的。

在經濟學上，驗證條件通常稱為局限條件（constraints）。經濟學並無"沒有局限條件"的理論，正如其他科學理論，一定有驗證條件的，否則就沒有解釋力了。假若我們說，在交易費用不存在的情況下（一個局限條件，可勉強稱為一個假設），甲的發生會導致乙的發生。要替這個含意作驗證，我們一定要在交易費用微不足道的真實情況下入手。換言之，局限條件的假設不能與真實世界脫離。這也是說，除了無可避免的簡化，驗證條件一定要有其真實性。

我們於是可以作出如下的結論。以抽象思想或概念為起點的科學理論，"非真實"是需要的，因為事實不能自作解釋。"不可能太詳盡"與"簡化"——這些是容許的。但驗證條件與真實世界脫了節卻犯了大忌。在經濟學上，局限條件（驗證條件）的真實調查與簡化，是忠於經濟解釋的最艱難的過程。世事如棋局局新，要花上三幾年才能在一些局限條件上得到一點基本的認識，是很普通的事。時光只解催人老，所以從事實證研究的經濟學者，往往要肯定問題的重要性，才敢將精力孤注一擲。

理論真實性的問題，經濟學於上世紀五六十年代的方法大辯論中，有一個令人尷尬的謬誤。那就是，假若我們說，甲的發生會導致乙的發生，那麼我們跟着可以說"沒有乙就沒有甲"；但卻不可以說"沒有甲就沒有乙"。這後者的謬誤，我們在前文談過了。在那次大辯論中，不少經濟學者忽略了這個邏輯學上的第一課，忘記了沒有甲並沒有說乙會怎樣。那位調查波士頓運輸公司的仁兄，認為甲這個假設非真實，就大做文章說乙會怎樣。這種低能分析本來是不值得回應的，但科學的進步有點莫名其妙，眾多學者的回應引起了大有裨益的辯論。

第八節：經濟科學的方法

如果同學認為這一章有些地方不容易明白，不要耿耿於懷。科學方法論（methodology of science）牽涉到哲學上的邏輯學與知識理論（theory of knowledge）。這些是近於人類文化歷史上最湛深的學問了。雖然我曾拜於高人門下，所知卻不多，而要深入淺出地寫，辭不一定達意。科學方法論本來精闢之極，但邏輯學的高人之間不一定互相同意，而科學的成就往往與此學問無關。不懂科學方法論的科學高人屈指難算；另一方面，科學方法論的專家很少是有成就的科學家。邏輯學往往走向象牙塔的極端，其高妙處令人拜服，但要達到精闢之境，總要付出很大的代價。

中國的文化傳統是障礙

從嚴謹哲學邏輯的角度看，我知的是粗枝大葉——我鑽研這學問是五十年多前的事了。但科學的方法還可從另一個角度看，那就是抽象理論與真實世界的轉接中的實證方法。這方面我知得比較多。本章的內容，是合併了哲學邏輯與實證轉接，所以與一般書本上所談的方法論是不同的。說到底，有實用性的科學，還是要走出象牙塔之外。

我以"科學的方法"置於本書之首，長章而大論，倒不是因為這學問對本書有什麼不可或缺的重要性。重要的是中國的文化傳統，往往大談仁義道德，缺乏驗證的精神，對科學的本質有根深蒂固的誤解。而二十世紀對中國人有影響的三民主義與馬克思主義——或其他主義——使同學們對科學的認識加上一層不透明的膠膜。前文說過，本書是為中國同學寫的。我認為，科學方法論對中國人比對西方好些民族更為重要。不要走進方法邏輯的牛角尖去，但大略的掌握是需要的。

經濟與自然科學的同與不同處

經濟解釋是一門驗證或實證科學，empirical science 是也。性質上與自然科學相同，所用的科學方法一樣。然而，內容的本質經濟學與自然科學有頗大的差別，科學方法的重點處理因而有不同之處。起於兩方面。一方面，經濟學的實驗室是真實的世界，不是由經濟學者建造的，不能由研究的人操控，觀察上的困難自成一家。另一方面，經濟學是解釋人類的行為，但經濟學者也是人，於是無可避免地，某程度是解釋自己。客觀的判斷是比自然科學困難了。

論方法，經濟與自然科學的重點不同，主要在如下幾方面。首先，我認為經濟學不應該受到那麼大的物理學的影響。前文提及，那所謂均衡與非均衡，在物理學是一個現象，是真實的，但經濟學的均衡與非均衡只是概念，我解釋過了。當然，不少經濟學者認為均衡與非均衡是指可以觀察到的市場現象。這是大錯，很尷尬的。同學要注意，當我在《經濟解釋》中提到均衡，我的意思是有足夠的約束，找到了可以被推翻的假說，不是說一些可以觀察到的均衡點。

我認為數學用於經濟解釋不重要，雖然今天的經濟專業文章，用上的數學比物理還要多。除了物理，其他自然科學少用數。我不是說數學於經濟沒有用處，但數學可不是經濟學。數學是一種神奇的語言：凡是方程式拆得通的，邏輯一定對。然而，對的邏輯不一定有對的內容。有些人善於用方程式去想，我則認為是多了一個框框，左右着我善用的天馬行空的思考方法。不用數，我的推理邏輯很少錯。我認為同學們要多學數，但思想時要考慮自己的腦子在哪方面比較優勝。多加操練，不用數的思考比較容易來去縱橫，想像力是勝了一籌的。

有一個常見的謬誤。好些人認為用上數學或統計的方程式，推理或驗證來得比較精確。這是不對的。量度是數字排列，而精確性的衡量是這排列的眾所認同性。這是哲學的另一個話題，到分析交易費用時我會示範怎樣處理。

其次，我沒有從事過自然科學的假說驗證，但經濟解釋的假說及驗證，永遠是從局限條件的變動入手，也即是從驗證條件的變動入手了。説甲的出現含意着乙的出現，其實是説甲的變動會導致乙的變動。

推測與解釋之別

説過了，推測與解釋是同一回事，但有事前與事後之分。推測是先見到局限的變動而推斷什麼現象會跟着出現；解釋是見到現象的出現，而追溯是什麼局限變動促成的。邏輯的結構一樣，所以推測與解釋相同。調查的處理程序不一樣，哪一方比較困難不容易説。想想吧。見到一個現象，要解釋，我們要追溯促成這現象的局限變動，但天下的局限變動無數，我們要選哪一項或哪幾項的合併呢？追溯事前的局限變動需要有理論的指引，不容易。推測呢？我們見到局限變動了，於是用理論推斷什麼現象會跟着發生。問題是，見到事前的局限變動不一定是穩定的，可以變後再變，推翻了本來是萬無一失的推測。一九八一年我推斷中國會走市場經濟的路時，是基於一些觀察到而又認為是相當穩定的局限變動，但推中了還是要靠上蒼保佑，這變動的穩定終於持續。

經濟學者不夠客觀

這就帶來另一個有關的重要話題。上述的事前推斷或事後解釋，協助的理論與概念的應用，要有足夠的掌握。然而，我們見到的説是應用經濟學的書，處理的方法是先提出一個理

論，然後找真實世界的例子塞進去。基本上這是求對，違反了
科學驗證的主旨：求錯但希望沒有被事實推翻。說得再嚴謹一
點，科學驗證求的是 refutability，即是理論或假說
（hypothesis）要有被事實推翻的可能，內地稱"可證偽"是不
大正確的。Refutable（可推翻）與 testable（可驗證）是同一
回事。出發點不同，意向不同，我們不容易在這些"應用"書
本中學得很多的。

最後要說的，是看不到則驗不着。是簡單哲理，今天的經
濟學頻頻違反，導致災難性的發展。說甲的發生會引致乙的發
生，要驗證，甲與乙一定是要真有其事，起碼在原則上可以看
得到或摸得着。我們說過，理論的起點往往抽象，就是原則上
也無從觀察的變量存在。多個香爐多隻鬼，無從觀察或不是真
有其物的變量我們要盡量避免。經過多年的探討，因為無可避
免我不能不接受的非真實的變量只一個：需求量（quantity
demanded）。只這一個，我的處理歷盡千山萬水。

縱觀今天經濟學的發展，無從觀察的變量或行為數之不
盡：博弈、動機、卸責、勒索、恐嚇、隱瞞、偷懶、機會主義
等。不是說沒有這些事，但只有天曉得，實際上無從觀察，無
從量度，無從驗證。看不到則驗不着，但可以說故事，故事可
以說得邏輯井然，聽來可信。有點宗教味道。無從驗證的科
學，沒有解釋力。

"解釋"一詞有好幾種意思。一個孩子欺騙父母，可以作
出一些故事來解釋一番。遠為嚴謹是歷史學者解釋史實，但這
些解釋通常無從驗證。用驗證或試行證"偽"的方法作解釋，
有事前的推測與事後的解釋，在性質上是同一回事。這種需要
用事實驗證的實證科學一般是有公理性（axiomatic）或武斷的
假設（postulate）。這方面與數學相同。跟數學截然不同的，

是驗證的本身一定是要基於可以觀察到的事實或現象的轉變。
看不到則驗不着──這是實證科學的座右銘，可惜今天的經濟
學者是頻頻忘記了。

參考文獻

A. A. Alchian, "Uncertainty, Evolution, and Economic Theory," *Journal of Political Economy*, 1950.

D. F. Gordon, "Operational Propositions in Economic Theory," *Journal of Political Economy*, 1955.

R. Carnap, *Logical Foundations of Probability*. University of Chicago Press, 1962.

E. Nagel, "Assumptions in Economic Theory," *American Economic Review*, 1963.

C. G. Hempel, *Philosophy of Natural Science*. Prentice-Hall, 1966.

我們知道自私可以給社會帶來利益這個觀點中國的老子先於斯密，而資源稀缺需要有制度的約束可見於韓非子的言論。另一方面，分工合作可以增加產量中國的古人早就知道。然而，通過市場來體現分工合作帶來的巨利卻是斯密首先以巨著來大論的。這促成西方的經濟學的發展。

第二章：自私的武斷假設

經濟學鼻祖亞當・斯密（Adam Smith）發表過兩本重要的書：其一是一七五九年出版的《道德情操論》（*The Theory of Moral Sentiments*）；其二是一七七六年出版的《國富論》（*The Wealth of Nations*）。前者論博愛，後者説自私。驟眼看二者有點互相矛盾。其實沒有，而弄清楚前、後二者的來龍去脈不僅讓我們能較為深入地理解為什麼近四十年來經濟學出現了悲劇性的發展，也讓我們意識到西方的科學發展是有着令人拜服的層面。

第一節：從斯密到達爾文到道金斯

《道德》一書論博愛，主要是分析人與人之間的同情心。這是關於哲學上的倫理問題。整本書，斯前輩是憑個人的細緻觀察，衡量人與人之間的同情心在怎麼樣的情況下會增加，怎麼樣的情況下會減少。大致上，斯前輩是說每個人都有善良的一面，在某些情況下人類可以靠道德上的博愛或同情心而生存，但在另一些情況下這博愛會下降，要生存就不能不自私了。

當年讀《道德》，我想到二千多年前孔夫子的後人寫下的《大同與小康》。"小康"是説人類"各親其親，各子其子"。大致上，斯密的《道德》一書説是可以的。然而，轉到孔夫子高舉的大同，"不獨親其親，不獨子其子"，斯密的觀點是人多

不成。後者是《國富論》的觀點，而斯前輩的偉大貢獻，是
"各親其親，各子其子"可以帶來國富。從我們孔夫子的角度
看，斯前輩是說天下為家可以，天下為公不成。

從自私到看不見的手

在十七年後的《國富論》中，博愛與同情心斯密再不討
論，而是轉到自私可以給社會帶來利益。他寫下這樣的名言：

很多時候，一個人需要兄弟朋友的幫助，但假如他真的要
依靠他們的仁慈之心，將會失望。倘若在需求中他能引起對方
的利己之心，使對方知道幫助他人是對自己有益的事，那麼這
個人的成功機會較大。任何人向他人提出任何形式的交易建
議，都是這樣想：給我所需要的，我就會給你所需要的——這
是每一個交易的含義；而我們從這種互利的辦法中，獲得的會
比我們所需的更多。我們的晚餐可不是來自屠夫、釀酒商人，
或麵包師傅的仁慈之心，而是因為他們對自己的利益特別關
注。我們認為他們給我們供應，並非行善，而是為了他們的自
利。

這無疑是至理名言。可惜很少人注意到，更重要是這些話
之前斯密說的另一句話："在文明的社會中，一個人永遠需要跟
很多人一起合作，但在整個生命中他能得到的友情卻寥寥無
幾。"是的，斯氏認為在社會中，一個人不能依靠他人的仁慈
之心來生存，可幸每個人以自利為出發點卻會給大家帶來利
益。那有名的"看不見的手"於是存在：

每個人都會盡其所能，運用自己的資本來爭取最大的利
益。一般而言，他不會意圖為公眾服務，也不自知對社會有什
麼貢獻。他關心的只是自己的安全、自己的利益。但如此一
來，他就好像被一隻看不見的手引領，在不自覺中對社會的改

進盡力而為。在一般的情況下，一個人為求私利而無心對社會
作出貢獻，其對社會的貢獻遠比有意圖作出的大。

斯密為何那樣看

　　這就帶到本節要說的最重要一點。斯密說的人類自私可不
是說天生自私，而是為了生存不能不自私。關鍵之處是在社會
中每個人得到的友情寥寥無幾，但為了生存卻需要多人一起合
作。正如我們在市場購買任何物品，一律是多人分工合作的結
果。斯密非常重視分工合作這個現象，認為是國富的主要原
因。這可見在《國富論》中，他一起筆就以一間製針工廠為
例，指出在針廠內分工合作的產量會比每個人獨自製針的產量
高出幾百倍！工人之間可以互不相識，沒有友情，但各為私利
而從事，大家皆可獲巨利。事實上，不僅是那家工廠，整個市
場斯密皆如是看。他有一句名言：“分工產出的程度是被市場的
廣闊度決定的。”換言之，斯密說的自私是適者生存的結果。
那是源於分工合作的需要，而一個人不可能跟那麼多的人結交
為可以互愛互助的朋友。

　　我們知道自私可以給社會帶來利益這個觀點中國的老子先
於斯密，而資源稀缺需要有制度的約束可見於韓非子的言論。
另一方面，分工合作可以增加產量中國的古人早就知道。然
而，通過市場來體現分工合作帶來的巨利卻是斯密首先以巨著
來大論的。這促成西方的經濟學的發展。我們要知道斯密生長
在歐洲工業革命發展得如火如荼的十八世紀，而中國當時還是
以家庭為主要的生產單位，論孝道，講服從。不是說昔日中國
的家庭經濟沒有分工合作，而是這合作遠沒有工廠那麼誇張。
英國昔日的工業革命是指從家庭產出搬到工廠那邊去，主要是
源於兩項重要的紡織機的發明，使該機變為龐大，家庭放不

下。工廠跟着出現，而其他產品也跟着工廠化。

斯密當年是憑觀察世事而推出他的《國富論》。工廠有那麼多的人一起操作，往往互不相識，靠博愛或同情心而生存顯然不管用。各自為戰而又互相合作不能不基於自私自利，但那是為了生存，不適者淘汰於是使自私的人成為適者。事實上，整本《國富論》都含蓄地引用着適者生存的思維。尤其是斯前輩在討論農地的使用制度的演變中，他明確地推測有經濟效率的制度會逐步替代效率欠佳的制度。雖然在史實上，他的推斷因為觀察出錯而錯了，但在邏輯上適者生存的論調是可取的。斯密偉大，因為他的思想是源於世界的觀察。

今天回顧人類的經濟思想史，我認為經濟學沒有在中國有系統地發展起來，主要是因為炎黃子孫忽略了分工合作產出然後通過市場交易會帶來巨利。中國的古人雖然知道分工合作可以增產，知道市場運作的功能，可惜在家庭產出下這些不夠誇張，發展不出一個經濟學的範疇。拿開斯密，二千五百年前中國的經濟學水平是明顯地高於與斯密同期的在歐洲的重農派與重商派。這可見一個重要思想範疇的發展，可能只源於一些簡單的觀察。作為炎黃子孫研究經濟學逾半個世紀，我走斯前輩的路，從細心觀察世事入手，重視誇張的現象，説不定可以挽回敗局！

達爾文的天才與失誤

斯密的適者生存的思維明顯地影響了後來的偉大生物學家達爾文。後者在他的多本論著中常常用上"生命的經濟"（economy of life）這一詞。然而，一九六一年作本科生我選修一科《生命的起源》時，教授說達爾文的適者生存之見被認為是錯，除非適者的定義是從某些基因的頑固存在看。達氏當年不知道有基因這回事。

　　另一個今天看是相當嚴重的失誤，是達爾文當年沒有機會考查過很多的生物遭淘汰的證據，以為遭淘汰的一律是不適者。這也是源於斯密的思維。在斯前輩的《國富論》中，我們見不到制度的安排會轉向劣質或無效率那方向走。適者生存不容許人類毀滅自己。然而，單是在我們見到的二十世紀，人類有兩次互相殘殺的世界大戰，有多種禍害民生的宗教與主義，有足以毀滅人類的核武的發明，而在中國有殺人數以千萬計的人民公社與文化大革命。適者生存怎可以出現這些悲劇呢？

　　如果我們把自私看為適者生存的後果——斯密是這樣看——人類不會毀滅自己。但如果自私是天生使然，那麼人類毀滅自己的可能性存在。《國富論》發表剛好二百年後的一九七六，道金斯（Richard Dawkins）出版了一本題為《自私的基因》（*The Selfish Gene*）的書。這本書博大湛深，非常重要。該書說所有動物都天生有自私的基因，從各種動物的行為引用的實例不僅多，而且很有說服力。

　　我的老師赫舒拉發（J. Hirshleifer）在上世紀六十年代教我時就對人類的災難經濟（the economics of disasters）有興趣，讀了道金斯的《自私的基因》就轉向"生物經濟學"（bioeconomics）那方面去，悲觀地看世界。後來在二〇〇一年赫師出版《力量的暗面》（*The Dark Side of the Force*），那是博弈理論了。

第二節：經濟解釋的選擇

　　讓我們簡單地回顧一下從斯密到今天經濟學者對自私的看法，以及我這本《經濟解釋》選用的自私概念。斯前輩看到的

自私是自然淘汰的結果，可惜這觀點不能推出人類會互相殘殺
或毀滅自己的行為。然而，阿爾欽一九五○年發表的《自然淘
汰與經濟理論》是重要文章，解釋市場現象有重要貢獻，我不
僅常用，而且在卷四把這自然淘汰帶到"適者均衡"這個重要
概念去。換言之，斯密的自然淘汰不能解釋人類互相殘殺，但
解釋市場現象卻有其可取處。

道金斯提出的自私基因與新古典經濟學今天採用的自私的
武斷假設，皆容許人類互相殘殺，自我毀滅。我選用後者這個
武斷假設，因為邏輯上後者較為容易地讓我們把局限引進分析
中。這樣處理，我們不需要採用無從驗證的博弈理論，但需要
在整個經濟理論的架構中讓出很多空位，好叫我們能把交易或
制度費用放進去。為此，我花了數十年時間把經濟理論的整體
簡化為需求定律、成本概念與競爭含意這三個基礎。成功的，
也很好用，雖然這裡那裡我還會略說一下經濟理論的其他細
節。換言之，引進交易或社會費用來解釋人類互相殘殺的悲
劇，可以驗證，用不着推到無從驗證的博弈理論那邊去。

以武斷的方法處理自私

經濟學有多種。我在《經濟解釋》處理的是從自然科學引
用過來的以事實驗證為準則的那一種。這是以一些武斷的假設
來推出一些可以被事實推翻的假說或理論。看不到則驗不着，
無從觀察的術語或變量當然是愈少愈好。過後可見，我不能不
接受的無從觀察的變量只有"需求量"。

"自私"要怎樣處理呢？不可或缺，但我不要從斯密的適
者生存看，也不要從道金斯的自私基因看。我只是接受李嘉圖
（D. Ricardo）、密爾（J. S. Mill）等前輩的古典傳統，以及馬
歇爾（A. Marshall）等前輩的新古典傳統，把自私作為一個武

斷的假設（postulate）處理。所謂"武斷"，是說在起步的基礎上大家不要爭論。這是走上自然科學的路。基於這假設，人類的互相殘殺或自我毀滅或悲劇性的行為要怎樣處理呢？我的處理是引進交易或社會費用。不容易，但可以解釋人類的不幸。道理其實簡單：如果我們能以交易費用（包括訊息或制度費用）這項局限的轉變來解釋人類為什麼會欺騙，我們也可以通過同樣的途徑來解釋人類的自私可以帶來的其他的不幸。

要解釋人類為什麼會互相殘殺或毀滅自己當然不容易，而我不敢說這本書會提供有說服力的答案。但從我知道的經濟學看，除了引進交易或制度費用，這門學問沒有其他方法可以解釋人類自己弄出來的不幸。再者，巨大的災難顯然不能以我們日常見到的交易費用作解釋。我們要引進"租值消散"。我會把租值消散歸納在廣義的交易費用之內。這是後話。

在我之前，經濟學的一個大難題是我們不容易把交易或制度費用放進傳統的經濟理論中。經濟學的傳統歷來漠視交易費用。我們怎樣才能把交易費用這項局限放進去呢？經過了半個世紀的思考，我採用的方法是把傳統的理論大手簡化，餘下來不可不用的只有需求定律、成本概念與競爭含義這三個基礎。因為理論簡單，空出來的位置多，交易費用這項複雜的局限可以較為容易地放進去。

從解釋行為或現象那方面看，武斷的自私與基因的自私相同。另一方面，自然淘汰這個理念依然重要，因為可以看為在社會中人與人之間的競爭帶來的結果。在這本書我會頻頻用上自然淘汰這個理念。以自私——個人在局限下爭取利益極大化——作為一個武斷的假設，重點是要加上其他原則來推出可以被事實驗證的假說，然後看看能否通過驗證那一關。驗證能過關當然重要，而同樣重要是這假設要一般性地遵守。我們不能說人有時自私有時不自私。換言之，捐錢、博愛、同情心，以至互相殘殺，都是以這個武斷的自私假設為出發點。關鍵是我們要怎樣放進局限的轉變。是的，我們可以從局限的轉變中推斷一個自私的人會變得博愛起來。

第三節：經濟學的起點

讓我們慢下來，從頭說經濟學理論的大概結構。

任何辯論必然有一個起點，科學不例外。假若我們在起點上有爭議，科學就難以成事了。所以在科學發展中，參與的人要遵守一個大家不言自明的規則：凡指明是基礎或是武斷性的假設（postulate），或是公理（axiom），大家都不在這基礎上爭論。不是說每個人要衷心同意這些假設或公理。是否認同不重要，重要的是同意不在起點上有爭議。科學辯證的規則是："且不要反對我在理論上必須有的起點，讓我從這起點以邏輯推出一套理論，有了可以用事實驗證的含意（testable or refutable implications），有了內容，到那時，你要反對才有所依憑。如果可以驗證的含意被事實無情地推翻了，那我就不能不考慮我的基礎假設是錯了。"

說起來，那些不容許有爭議的基礎假設或公理，可能近於無稽，令人難以置信。例如，在數學上一個重要假設是這樣說的："假若一加一等於一個數字，這數字叫作二；又假若二加一等於另一個數字，這數字叫作三⋯⋯"聽起來有點傻氣。但沒有這個基礎的假設，我們無從知道一至二之間不可能有另一個數字。要是我們在這基礎上有爭議，互不讓步，那麼數學的理論就不能發展起來了。

舉另一個例子。在幾何學上，一條直線的定義是兩點之間的最近距離。有點難以接受，但遠不及"一點"的基礎假設來得抽象，彷彿是說笑似的。幾何學指明："一點是不可以量度的！"一點既不能量度，怎會有可以量度的直線呢？但基於這些似是而非、似非而是的起點，幾何學使人類在古代建造了金字塔（雖然這些基礎假設當時還沒有搞清楚）。我們可以這樣看：近於無稽的基礎假設，可以導致令人嘆為觀止的學問。

過後我會把經濟學的幾個不可或缺的公理或基礎假設，綜合為一條向右下傾斜的需求曲線，即是需求定律，拆開來細看這些基礎假設會幫助同學們得到較為正確的理解。

經濟學上的第一個基礎假設是："個人"（individual）是所有經濟分析的基本單位。這是說，任何經濟問題不可以從一群人、一個團體、一個社會或一個國家作為起點來分析。說什麼宏觀經濟，社會福利，或什麼政府策劃，都一定要以個體或個人為分析單位。

經濟學沒有以集體為起點的理論。無論觀點是怎樣的"宏"，不管分析的起點有沒有提及，不基於個人為起點的，都不是可取的經濟理論。這是說，分析宏觀經濟必然以個人為起點——我這本《經濟解釋》將會說沒有宏觀經濟學這回事！當然，以集體或整個社會為起點的經濟理論是有的，但這些脫離了基礎。我們久不久聽到什麼宏觀比微觀重要等言論，是一些在經濟學上沒有基礎的人才會說。宏觀只不過是以個人為單位加起來的，其組合有或大或小之分。在現代的經濟學中，宏觀與微觀之別，有些學者不按組合的程度，而是以重視貨幣與否為依歸。好些經濟現象需要宏觀，但不需要有特別處理的宏觀經濟學。

以"個人"為分析單位，是不論男女，無分長幼，也不管某些人的神經是否有毛病。不管某甲是天才，某乙是蠢材，我們一視同仁地把個人作為分析單位，而"個人"者，是任何有觀察力的人都可以鑑辨的。同樣重要的是，凡是基礎上的假設，是不能朝令夕改的。"個人"的假設不例外。我們不可以將一些問題以個人為起點，而另一些問題卻以集體為起點。當然，好些問題是關乎集體而非個人的，但分析那集體問題時，還是要由個人為起點。

個人作選擇是武斷基礎

為什麼"個人"是如此重要呢？答案是，所有取捨或選擇都是由個人作主的。集體的取捨，是由個人的取捨集合而成。那是說，即使一個人在極權的政制下失卻了自由——被形勢所迫而沒有自由——這個人還是作了不自由的選擇。換句話說，天下間沒有絕對的不自由，也沒有絕對的自由；選擇一定有局限的約束，而這選擇是由個人作主的。

經濟學的第一個基礎假設，是個人作決定，作取捨。決定就是選擇。這其中有一個不淺的哲理。經濟學是以推斷人的行為來解釋現象的科學。我們說人的任何行為都是經過選擇的。究竟是否明智，是否有理性不重要，重要的是我們假設人會作選擇。究竟在事實上人的任何行為是否因選擇而起，抑或是漫無目的、盲目而為，都不重要；重要的是我們一貫地遵守這個假設或公理。

"人會作選擇"是經濟學上的"慣例"（convention）。這慣例與其他自然科學的不同。解釋物體的現象時，物理學家不會說物體的行為是物體自己選擇的結果。原則上，如果物理學要說物體自作選擇，也無不可，但物理學家沒有這樣做。任何科學都有其固定不變的起點，而這起點是不容爭議的。經濟學

的 "個人作選擇" 的假設，接受的人多了，所有的經濟問題就成為選擇的問題。經濟學最重要的價格理論（price theory）被稱為選擇理論（choice theory），是有其因。

以選擇理論來解釋人的行為，當然要假設人的行為是可以被推測的。嚴格一點說，經濟學的第一個公理是任何人的行為，都是基於個人作出可以被推測的選擇（predictable choice）。這是公理，是經濟學的一個基礎假設，不管是對還是錯，是不能有所爭議的。

第四節：理論要約束行為

不要忘記，有解釋力的理論，必然有被事實推翻的可能。不可能被推翻的理論，半點用途也沒有。同樣重要的是，要推測行為，科學的理論一定要對行為加上約束。假若行為完全沒有約束，忽左忽右，像無定向的風那樣，任何推測都不會錯，那麼理論就不可能被事實推翻了。

行為一定要有約束，比如指明在怎樣的情況下會向左而不會向右。這樣，行為才可以被推斷，被解釋。當然，指明是向右的，但也可能會向左。有解釋力的理論，是可能會被事實推翻，但沒有被推翻。這一點，我在第一章解釋過了。約束行為會增加理論被推翻的可能。約束愈多，行為的推斷就愈精確，但如此一來，被推翻的可能性就愈大。所以科學是冒險遊戲。對行為的約束力愈大愈妙，但絕不可伸展到被推翻的領域中。科學高手會膽大心細，作大膽的假設，細心的體會，把約束行為的武斷推到僅僅不被推翻的邊沿去。

說人會一貫地作可以被推測的選擇（predictable choice）——經濟學的第一個假設——已是一個約束。這樣說

還須補充：由於約束力尚嫌不足，我們要加上其他重要的約
束。這就帶到本章開頭兩節提到的自私的假設：每個人的任何
行為，都是自私自利的！那是說，每個人在有局限的情況下會
為自己爭取最大的利益。無論是勤奮、休息、欺騙、捐錢⋯⋯
都是以自私為出發點。這就是前文提出的每個人會一貫地在局
限下爭取利益極大化。過後可見，局限的基本概念就是成本。
不膚淺，我們要到卷二才深入地分析。而局限轉變人的行為會
怎樣變，其主要的規律約束是需求定律，也不容易，我們會在
本卷第五章分析。

局限轉變為何重要

基礎假設不容許有異議，而人的本質究竟是否自私卻無關
宏旨：重要的不是人究竟是怎樣（那是心理學、生理學，或哲
學上的事），而是我們要假設人是怎樣。問題來了，假若我們說
欺騙、捐錢⋯⋯等等都是自私的行為，豈不是任何行為都可被
"自私"解釋了，以致不能被事實或任何行為推翻？說是約束
行為，但到頭來卻毫無約束，那又怎可以自圓其說呢？這問題
問得好。答案是：假若我們隨意說任何行為都是自私，像套套
邏輯那樣不可能錯，那麼這自私的假設就會變得沒有內容，空
空如也，沒有用場。但假若我能指明一些局限條件，用以指定
在怎樣的情況下人會因自私而作某種選擇，而這局限條件的轉
變會導致某一種行為的必然轉變，那又另作別論了。

例如，無緣無故的捐錢，幫助朋友，與自私扯不上關係，
是解釋不了的。但假若我們說，在某些局限條件下，捐錢的成
本比較低，或利益比較高，那麼捐錢的行為會增加。這樣，自
私這個假設就變得大有用場。我可以舉出一些例子。三十多年
前，鄧小平的兒子鄧樸方到香港募捐，一舉而得捐款港幣五千

萬元。但我的兒子卻沒有這樣的本領。要是捐錢的人純是為捐錢而捐錢，那麼姑且不論我的兒子的不濟，他們又何必隆重其事，何不在人們不知不覺中悄悄地將支票寄到慈善機構去？或者說，"無名氏"的捐者有的是。但在捐款可免稅的情形下，為什麼會增加捐錢的行為呢？"惻隱之心"這一詞是怎樣來的？相信好有好報的"因果"之說從何而起？

<h2 style="text-align:center">不容許例外行為</h2>

在什麼局限條件下人會相信因果報應，會談仁義道德？在怎樣的局限條件下人會有較大的惻隱之心？在怎樣的情況下人會為名而樂善好施呢？我很欣賞像邵逸夫那樣的人，對教育的捐助不遺餘力——將一所大學的建築物命名為"邵逸夫堂"是應該而適合的。說邵氏的捐錢是以爭取自己的利益為出發點，是毫無貶低之意；要是我有他的財富，我不會像他那樣慷慨。但假若我們放棄了自私的假設，經濟學沒有其他途徑可以解釋邵逸夫捐錢給大學，不是隨便而是有選擇性的。行為不是漫無目的；捐錢的行為不例外。

假若我們容許例外的存在，那麼任何難以解釋的現象都可作例外來處理，經濟理論就不可能被事實或行為推翻了。這樣一來，整個經濟學的架構就會倒下來，潰不成軍，什麼解釋力也沒有。

困難的所在，不是自私這個假設是對還是錯，而是要指出在不同的局限條件下，圖私利會引致欺騙與捐錢這兩種不同行為的並存。我在第一章內說過，局限條件的審核與界定，是經濟學上最費心思的事。很多關於人的行為，我們在今天還沒有滿意的解釋（這是經濟學的趣味所在；什麼都有好答案的科學是會壽終正寢的），主要原因是我們對局限條件的認識不足。

第五節：結論

雖然我們有理由相信自私是人的本質，是真理，是不可更改的，但從經濟科學的角度看，這真理不重要。重要的是把自私作為一個辨證的基礎假設，在這個起點上不容有爭議。而以這假設來解釋人的行為是否可取，要看這個及其他附帶的假設能否推出一些可能被事實推翻的含意，再客觀地以事實驗證。在這個科學辨證的遊戲中，因為邏輯的規限，我們不能説人有時自私，有時不自私，以致在邏輯上我們無法推出任何可能被事實推翻的含意。

這樣處理，自私的假設確是有驚人的解釋力。將來某些天才可能創出另一個假設來代替自私，而又比自私這個假設更有用場。今天，我們未有較好的選擇，所以不能不墨守這個自私的假設而成規了。這不是頑固，而是科學方法劃定下來的規則。

假若人的本質是自私的，不能更改，那麼一個基於人的自私可以被更改的"主義"，其制度政策會失敗。這是昔日中國的經驗。今天的世界，相信"無私主義"的人愈來愈少，但還是被一些自私自利的人利用來增加自己的權力，以逐私利。

還有一個有趣的問題。那就是：假若人的自私本質真的可以被更改，而改造者又有上帝之能，會將人改造成怎樣的呢？説人可以被改為不自私並沒有説人應該是怎樣的。如瓜似菜？如電腦？如科學怪人？我不知道讀者有什麼高見。我自己的直覺是，即使一個人毫無自私之心而像天使那樣，這個人會比自私的人恐怖。

"私"字當頭，在中國的文化傳統沒有一絲可取的含意：挾帶私逃、私相授受、自私自利，等等，皆有貶義，而大公無私則是正面的。開放改革三十多年，神州大地有了長進，"私"營企業稱作"民"營，但"私"字還是不便用。西方呢？"Private"一詞受到尊重。為什麼跟中國的文化有那麼大的分別我沒有考究。我想破了腦袋，也想不到除了譯作"私"，"private"還有其他譯法。說過了，這裡說的"自私"是"局限下爭取個人利益極大化"的簡稱，是個假設，毫無價值觀，是好是壞無關宏旨也。

參考文獻

A. Smith, *The Theory of Moral Sentiments*. Edinburgh, 1759.

A. Smith, *An Inquiry into the Nature and Causes of the Wealth of Nations*. W. Strahan and T. Cadell, 1776.

C. R. Darwin, *The Origin of Species*. John Murray, 1859.

A. A. Alchian, "Uncertainty, Evolution, and Economic Theory," *Journal of Political Economy*, 1950.

R. Dawkins, *The Selfish Gene*. Oxford University Press, 1976.

在一個沒有市場的社會中，競爭也是層出不窮的，只不過競爭的形式有所不同罷了。弱肉強食是競爭，權力鬥爭是競爭，走後門、論資排輩、等級特權等等，都是競爭形式。道理明確：凡是多過一個人需求同一經濟物品，競爭必定存在。

第三章：缺乏與競爭

以理論解釋行為，行為一定要受理論的約束——這是基本道理。經濟解釋的法門，與任何其他的實證科學一樣：一方面我們以一些有一般性的行為假設、公理或定律，來約束行為；另一方面，我們指出一些約束行為的局限條件或情況。這兩方面的"雙管齊下"，使我們能推斷在怎樣的情況下，人的行為必然會怎樣；而情況有變，行為也就隨之而變。為了要有被事實推翻的可能，這推斷要說得肯定——若不肯定，怎會是"錯"或被推翻呢？對這些約束理論融會貫通的人，運用之妙，存乎一心，對行為的推斷的精確令人嘆服。

第二章我們談及兩個基礎假設：（一）每個人的任何行為，是個人的選擇，而這選擇是可以被推測的；（二）在局限約束下，每個人都會一貫地爭取最大的私利。除此之外，我們還有其他的約束行為的基礎假設。這些我們將於第四及第五章分析。這裡我們打斷話題，先解釋缺乏（scarcity）與競爭（competition）這兩個在經濟學上不可或缺的概念。

第一節：物品的定義

"物品"一詞是從英語"goods"這個字翻過來的。這詞有廣泛的含義。它不僅可釋義為產品（product）或商品（commodity），也包括服務（service）、友情、聲望、空氣、清潔、幽靜、愛人、愛，等等。凡是有勝於無的東西，不管有形或無形，都是物品——"有勝於無"是經濟學上的"物品"
定義。從個人的角度看，可愛的孩子、江上的清風、山間的明
月，皆有勝於無；美麗的相貌、可信的聲譽、動聽的聲音、溫
馨的回憶、思考的能力，等等，都是物品。

有勝於無與多勝於少

物品可以分為兩大類：其一是經濟物品（economic
goods）；其二是免費物品（free goods）。物品的定義是有勝於
無，而在有勝於無之中，有一大部分是多勝於少的。多勝於少
是經濟物品的定義。這定義中的"勝"，是客觀的。假若我們將
五兩黃金分為兩份，一份三兩，一份二兩，由人隨意選擇，被
選的那份是三兩，黃金就是經濟物品了。兩相比較，被選取的
那一份就算是較為優勝了，究竟是好還是壞，是否有益身心，
卻無關宏旨。因此，"勝"在這裡沒有主觀或價值觀的內容。

多勝於少是經濟物品，在現實的世界中數之不盡。黃金白
銀、葡萄美酒、鮑參翅肚、水果蔬菜、衣食住行、旅遊憩息、
天倫之樂，等等，都是經濟物品，因為這些都是多一點比少一
點優勝的。

在所有物品中，有一小部分是有勝於無，但卻不是多勝於
少。原因是這種物品供過於求，即使再多一點也沒有用，所以
多勝於少就說不上了。這樣的物品不多，而最常被引用的例子
是空氣。在空氣清新的地區，空氣用之不竭，沒有人會爭取多
一點空氣。空氣雖然重要，但也只能說是有勝於無，不是多勝
於少。空氣於是成為一種免費物品而非經濟物品。話得說回
來，在人煙稠密之區，空氣污濁，要多一點新鮮空氣就變得很
現實了。在這樣的情況下，新鮮空氣再也不是一種免費物品，
而是一種經濟物品。

第二節：什麼是缺乏

"多勝於少"是經濟物品的定義，也是"缺乏"（scarcity）的定義。那是說，凡是經濟物品，都是缺乏的、不足夠的。"不足夠"從何而定？假若江上的清風與山間的明月，真的是像蘇東坡所說的"取之無禁，用之不竭"，那當然是足夠了。這樣，清風與明月只能是免費物品——雖然在我們的真實世界中，清風難得，明月可貴，這些早已成為經濟物品了。說得嚴格一點，所謂不足夠，其供應量的多少不一定有關係。例如，好的雞蛋比壞的多，但好的不足而壞的卻有餘。好的雞蛋人們需求甚殷，故此不足；壞的呢，我們避之唯恐不及，沒有需求，所以有餘。

物品沒有需求，天下不會有"有勝於無"這回事；而若非供應有限，多勝於少就談不上。缺乏是因為在需求下，供應有限而引起的。人的需求量增加，再多（但仍有限）的供應也會愈形缺乏；人的需求量減少，有限的供應可能被認為是不缺乏的。那是說，缺乏的程度，是以相對的需求來決定的。

經濟物品必有代價

一種缺乏物品——一種經濟物品——其供應不能完全滿足人的需求。於是，這物品就變為多勝於少了。既然多勝於少，人們要爭取多一點，那麼他們一定願意付出一點代價。不願意付出任何代價來爭取多一點的，不能算是多勝於少——邏輯不容許我們反對這觀點。因此，凡是有人願意付出代價來爭取多一點的物品，都是缺乏的、不足夠的，那就是經濟物品了。在市場上，我們要付的代價是價格（price）。所以我們可以說，凡有價格的物品都是缺乏的，不足夠的。一些社會——比如極端的共產社會——市場不存在，沒有價格，但代價（sacrifice

或 cost）還是要付出的。所以我們又可以説：沒有價格的物品
也可能是經濟物品，它們是缺乏的——既然缺乏（人們需要多
一點），代價也就無可避免。

第三節：競爭的本質

在魯濱遜的荒島上，在那一人世界中，競爭是不存在的。
當然，那荒島上可能有其他野獸跟魯濱遜競爭、搶食，但那裡
不會有人與人之間的競爭。經濟學上的競爭（competition）
是指人與人之間的競爭——所有經濟學的基礎假設都是為人而
設，要解釋的行為大都是人與人之間的競爭行為。

在魯濱遜的一人世界中，有免費物品，也有經濟物品。在
爭取較多的某種經濟物品時，魯濱遜是要付出代價的。想多吃
一尾魚，他要減少休息；為了多伐一些木材取暖，減少蘋果的
種植是代價；今年要多吃一點麥，明年得少吃一點。是的，在
荒島上，魯濱遜也要面對供不應求的現實，有經濟物品的存
在，要付代價，所以像我們那樣，也要在選擇中作取捨。不同
的是：魯濱遜的世界沒有人與人之間的競爭。

經濟學難於社會有競爭

在那沒有競爭的一人世界中，經濟學着實膚淺。我們可以
用經濟理論來解釋魯濱遜的行為，而全套有關的解釋，若簡化
地申述，兩三小時足夠——深入的分析最多也不過兩三天的時
間。試想，在魯濱遜的一人世界中沒有市場，沒有價格，沒有
貨幣、通脹、失業，也沒有法律、警察、政治，更談不上軍
備、中間人、合約、制度等等問題了。沒有這一切，經濟學再
深也不會深到哪裡去。

是的，經濟學的複雜、湛深，完全是因為在魯濱遜的世界

中增加了一個人。有兩個或更多人的世界，變成社會——這是
"社會"最明確的定義。經濟學的趣味因為有社會的存在。我
們也可以這樣看：經濟學的複雜，百分之九十九以上是因為我
們不是生存在一個魯濱遜的一人世界，而是生存在一個多人的
社會。

隨着這推理的演進看吧。一種經濟物品是多勝於少。在社
會中，一個人對某種物品多要一點，其他的人也同樣對這物品
多要一點。僧多粥少，競爭於是無可避免。競爭的定義，是指
對一種經濟物品有多於一人的需求。在我們生存的社會中，這
樣的物品所在皆是。是的，在現實世界中，免費物品——如新
鮮空氣——還是存在的，雖然愈來愈少了。

沒有競爭的經濟物品社會罕有

在社會中，沒有競爭性的經濟物品不容易找到，幾乎要想
破腦袋才可想出一二。記得六十多年前我在香港的灣仔書院唸
書，同學們看電影進場時，喜歡取得電影院派出的、有關上映
中的電影故事的一張說明書——俗稱"戲橋"。眾多同學爭着
佔為己有，舊的（過時的）"戲橋"就變得缺乏，有價格，而比
較難求的，小同學們以港幣數元成交。那時，這數元是我一個
星期的零用錢。舊"戲橋"變成經濟物品，有競爭。過了幾
年，收藏"戲橋"的嗜好頓失影蹤，同學們由厭而至棄之。但
有一位姓李的同學，愛"戲橋"成癖，繼續珍藏。於是，對這
位有怪癖的同學來說，舊"戲橋"是一種經濟物品（多勝於
少），但卻沒有競爭。這是我知道的在社會中沒有競爭的經濟物
品的罕有的實例。時移勢易，香港的電影院再不印發"戲橋"
了。我與那位姓李的同學有五十年沒有見面，不知他堆積如山
的"戲橋"怎樣處置了。

　　在社會中，差不多每一種經濟物品都是有競爭的。競爭於
是無日無之。我們每個人從早到晚都在競爭，從小到大競爭慣
了，可能意識不到競爭的無所不在。我們吃早餐，是從競爭中
贏得的。一個人多吃一點，另一個人必定要少吃一點。在競爭
中此得彼失。早餐如是，午餐如是，睡覺的床如是，坐公共汽
車、進學校、到沙灘上曬太陽、在家裡看電視等等，也如是。

　　可以說，在社會中，我們不容易找到沒有競爭的人與人之
間的行為。"沒有競爭"這句話，從比較嚴格的經濟學看，是難
以成立的。一些不知所謂的經濟學課本，論及壟斷及專利權
時，說沒有競爭。然而，壟斷及專利只不過是壓制了某一種競
爭，但增加了另一種競爭。例如，人們會在競爭中奪取壟斷或
專利權，也會在被壟斷了（或有了專利權）的市場內，以相近
或可替代的產品競爭圖利。

　　在一個沒有市場的社會中，競爭也是層出不窮的，只不過
競爭的形式有所不同罷了。弱肉強食是競爭，權力鬥爭是競
爭，走後門、論資排輩、等級特權等等，都是競爭形式。道理
明確：凡是多過一個人需求同一經濟物品，競爭必定存在。

第四節：遊戲規則與產權制度

　　因為缺乏而引起的競爭，跟任何運動一樣，是要有遊戲規
則的。沒有規則就不能決定誰勝誰負。沒有優勝者，競爭就沒
有目的了。田徑賽有規則，網球賽有規則。即使在弱肉強食的
競爭中，勝者生，負者死，也是規則。

　　從經濟學的角度看人與人之間日常生活中的競爭，有關的
遊戲規則就是法律、紀律、風俗等，不一而足。正如體育遊戲
的規則一樣，這些規則有約束性，指定競爭者在某種情形下不

能有某種行為。這也是說，在社會的經濟競爭中，無論是法律、紀律或風俗，都是以有約束性的辦法來界定人與人之間的權利。這種權利界定就是產權制度了。在卷四我會申述，約束競爭的安排是合約安排，是從另一個角度看產權制度。這是後話。

產權與競爭意義相同

產權制度（system of property rights）是競爭的遊戲規則，也就是約束競爭行為的一種局限條件。假若我們吹毛求疵地分辨，這些規則千變萬化。私有產權（private property rights）只不過是其中一種。要一般性地將產權制度分為幾大類，而又有系統地分析每一類的轉變對人類行為的影響，可以做到。這是制度經濟學的問題，我會過後才細說。

"產"這個字的英語是 property。這個字不簡單。從經濟學的角度解釋，property 是有競爭性的經濟物品。這與法律上的定義稍為有別。法律上，property 一般是指資產（尤其是地產或房產）；但在經濟學上，其義不僅包括資產，消費物品也算在其內。消費品與房地產的共同處，是二者都缺乏，在社會中都有競爭性，都是經濟物品。

阿爾欽說得好，"產"（property）、競爭（competition）、缺乏（scarcity）這三個詞是同義的。讀者們要在這同義的觀點上多花一點時間，設法深入地想，直至理解到在社會中，競爭是一個無所不在的概念。不明白這個一般性的競爭概念，學經濟不能有大成。

第五節：競爭準則的含意

在田徑賽中，速度的快慢決定誰勝誰負。速度是田徑賽決定誰是優勝者的準則。假若這賽事沒有遊戲規則，指明什麼行為是犯了規例，那麼速度這個準則就不容易成立了。同樣，沒有遊戲規則，舉重比賽的力度準則不容易成立。象棋賽以智力高者勝；桌球賽以眼力精、技術高、手力控制自如者勝——這些準則，都是由有關的遊戲規則促成的。

經濟上的競賽（競爭）也是如此。自由市場價高者得，市價於是成為決定勝負的準則。促成這市價的遊戲規則，是私有產權的制度。這是科斯與阿爾欽的思想重點了。

規則是為準則而設

歷久以來，經濟學對市價的分析，都着重於價格是怎樣決定的。但價格（price）這個概念到了阿爾欽手上，頓放異彩。他說：「價格決定什麼，遠比價格是怎樣決定的重要！」單這一句話，我們對世界的認識有了長進。價格是一個決定勝負的準則，而私有產權是決定這準則的遊戲規則。科斯與阿爾欽被譽為產權經濟學的開山鼻祖，究其因，是他們每人都說過幾句有啟發性的話。

遊戲規則與決定勝負的準則有直接的連帶關係：前者決定後者，而後者決定社會的經濟運作。有趣的問題是，究竟是因為人們需要有某一個準則才促成這準則的遊戲規則出現，還是人們需要有某些遊戲規則，才使確定勝負的準則無可避免地產生呢？驟眼看來，這是一個難分先後的問題。

我認為是準則在先而遊戲規則在後。為什麼呢？因為定勝負的準則所決定的，是人類以競爭來解決的問題，而遊戲規則只不過是協助準則的成立而已。速度的快慢是田徑賽的重心所在，這項賽事的規則僅是協助判斷「快者勝、慢者敗」。學校的考試成績準則，目的是要鑑定學生們有沒有在知識或學業上下工夫，而考試的規則只不過是公平地讓知識較高者勝（當然，這不一定能達到意圖的效果）。市價不僅決定誰勝誰負，也決定生產力高者勝，而私產制度是協助市價的採用。同學們要等到我分析租值消散時才體會到更深入的理解。

本領有別選擇不同

我在上文說，決定勝負的準則會決定社會的經濟運作。一方面，社會成員的財富或收入的分配，是以競爭的準則來決定的。準則有多種，而在不同的準則下，每個人的優勝機會不同。一些人善於經營生意，或善於生產，私有產權的競爭準則對他們有助。一些人有高明的政治手腕，在非私產的制度下，他們可大展所長。也有一些人不懂得怎樣應付千變萬化的市場運作，但善於墨守成規地工作，以年資作準則，對他們就大有好處了。

另一方面，因為競爭準則對人的收入、享受有決定性的作用，所以在不同的準則下，人的行為會跟着不同。以價高者得為例吧。一個人要在市場中得益，要努力生產，或發明新的產品，或創造有效率的經營方法，或找尋可以節省費用的訊息，等等。但若物品沒有市價，以配給的方法分配，那麼競爭者就會選擇"走後門"之路，或運用政治手法，爭取一官半職，等等。

競爭準則決定行為的實例

我可以用兩個在香港分配居住房子的實例，來說明"準則決定社會經濟行為"這條格言。我們知道，香港的房產自由市場是以價高者得的辦法來決定勝負的。付得起而又出價夠高的人，可將自己喜愛的房子買下或租下來，作為己用。不管這個人的年紀多大，相貌多好，政治手腕怎樣了得，學問如何高深，付不出須付之價就沒有什麼優惠可言。

但在香港大學內，教師的房子是以計分的辦法來分配的。作為系主任的有六分，結了婚的六分，一個孩子六分，兩個是十二分，工作了一年兩分，工作了八年就有十六分了。這些加起來的總分數，是決定爭取房子分配先後及面積大小的準則。不管一位教師的學問怎樣卓越，研究成績如何出眾，若分數不夠高，在房子競爭上就非敗不可。

說起來，香港大學分配房子的計分準則，與中國內地改革初期給幹部分配房子的辦法極為相似，差不多是如出一轍的。究其因，港大的局限條件與國營制度大有相同之處。港大的資產並非私產，而是公家或政府的。從產權那方面看，港大的制度是一種"共產"制度，其房子的分配準則與房子的市價無關。港大與昔日內地的主要區別，是港大的"共產"制只限於有關大學的事項，而中國內地昔日的共產，是一般性地擴展到整個國家去。

從以上的市場分配房子與港大分配房子的兩個例子中，我們明顯地看到，因為決定勝負的準則不同，勝者與負者會是不同類的人。一個有獨特生意眼光的人，在港大沒有特別的好處；而一個有較多孩子的，在市場上就沒有什麼優先權利了。想深一層，我們知道，在不同的準則下，人的行為跟着不同，所以生產的效率也就不同了。港大分配房子的準則會鼓勵教師多生孩子，鼓勵早婚，也鼓勵較長久地服務於港大的意向。以價高者得的準則來分配，則會鼓勵人們生產賺錢、節省費用及儲蓄等等的行為。

在經濟學上，"浪費"這個概念不簡單。我們要到本卷之後才深入地探討這個概念。這裡，我只介紹一般書本說的、比較

容易明白但不大正確的浪費概念。一般而言，浪費是指有其他
辦法，或用其他資源使用的分配，可使社會的財富或收入增
加，但這些"其他"辦法卻莫名其妙地不予採用。

從以上的浪費定義衡量，在數之不盡的各種競爭準則中，
只有一種沒有浪費。這種唯一沒有浪費的競爭準則，是市價。
幾個例子可以解釋這一點。排隊輪購，以先到先得為準則，是
要付出時間代價的。但時間用在不事生產的呆立等候中，對社
會任何人都沒有好處，所以這時間的價值是浪費了的。

另一例子，讓我們回到先前談及的香港大學分配房子的計
分準則去：一個港大的教師多生孩子，或較長久地留任，可多
獲分數。那麼，在躊躇而難以取捨（那所謂"邊際"）的情況
下，要選擇應否多生孩子或另謀高就，爭取較佳的"房子"分
數會有決定性的作用。本來不打算多要孩子的將孩子生下來，
是"浪費"，因為分數的本身不代表產品的價值，而多生孩子的
選擇是為了爭取分數而"逼"出來的。

以年紀大小做分配的準則，會鼓勵人們不惜花費金錢、心
力虛報年齡，或增加他們寧願虛度時光而急待老來的意向。弱
肉強食的社會，以武力定勝負，會促使人民在武器上投資。多
年前，冰天雪地的阿拉斯加發現了金礦，出現尋金熱潮，當地
的競爭者於是定下規例，每天以速度競賽的方式，較先抵達某
個礦地的，就有權在那一天那一處採掘。這樣一來，大家就搶
着把拖雪車的狗養得又強又壯。這些行為都是有浪費的。

市價的獨到之處

唯一沒有浪費的競爭準則，是市價。價高者得是唯一促使
人們增加生產來換取所需的準則。多盡一分力以生產賺錢，取
勝的機會較大，而這生產對社會是有貢獻的。因此，市價這一

準則不會引起浪費。

上面説的"浪費"觀點，上世紀七十年代初期起我稱為租值消散，因為性質與公海捕魚的租值消散類同。事實上，一九六七寫《佃農理論》時，第六章的第四節我就那樣看，只是角度略有不同。是複雜、重要而又有趣的分析，前前後後我思考了四十多年，卷四會詳盡地説。是的，在無數的經濟競爭準則中，只有市價不會導致租值消散。這解釋了為什麼在人類數千年的歷史中，雖然市場被貶過無數次，但總是頑固地再出現。在歷史有載的無數制度中，只有市場有這樣的能耐。

第六節：經濟分析與價值觀

前文説過：競爭的準則決定社會的經濟運作。在有關"準則"這話題上，一些是屬經濟學的分析，另一些則屬主觀、倫理的問題，與客觀的理論分析扯不上關係。這二者要清楚地分開。

我們知道，在不同的準則下，勝或負的人各各不同。因此，一些人喜歡選取某一種準則，另一些會選取另一種。這些行為是屬於經濟學的範疇了。例如學生考試，一些學生希望老師出文字題，讓他們大做文章，另一些則要求選擇題（multiple choice），認為這樣他們的取勝機會較高。凡是選擇的行為，都在經濟學分析之內。

究竟準則是好是壞，或對社會福利有何好處，則是倫理或價值觀的事了，與客觀的分析無關。例如，我在前文提及，以市價為競爭的準則沒有浪費，因為它導致增加生產，而其他的各種準則在某程度上必會出現浪費。然而，我可沒有説增加生產是好的，浪費是壞的。什麼是好是壞，只有個人的價值觀

（value judgement）才能判斷。

中國昔日的人民公社導致民不聊生，為什麼會這樣，是經濟學分析的問題，但民不聊生究竟是好還是壞，則是主觀的判斷了。經濟學可以解釋人類的行為，可以解釋在怎樣的局限條件下民眾會變得飢寒交迫，但不能說是好事或壞事。我說"不能說"，是指經濟學不能說，並非指經濟學者不能說。不要忘記，經濟學者也是人，有着他自己的價值觀。假若我說飢寒交迫是壞事，是不好的，我是站在人的立場，主觀地說話，不是基於客觀的經濟分析。當然，我有權利作這樣的主觀判斷，因為我有人的權利，但這權利是不須有經濟學的訓練才能得到的。

價值觀是人之常情，不是科學

我可以表達我的價值觀，其他的人同樣可以表達，但誰的價值觀比較正確，比較可取，只有天曉得。價值觀的表達是不須有分析的訓練的。你說藍色好看，我卻喜歡紅色，誰可以作出判斷而使大家心悅誠服呢？你說政府支援教育是好事，我說是壞事，你和我辯論一百年也不會得到好與壞的結論。這是因為好與壞，喜愛或厭惡，不能以科學分析來達到客觀的同意。

假若我說，飢寒交迫是不好的，是壞事，很多人會同意。這只不過是因為大多數（甚至所有）的人都不喜歡自己飢寒交迫。大家是因為價值觀相同而同意，不是因為客觀的分析而同意。經濟學可以解釋為什麼民眾會飢寒交迫，可以解釋為什麼政府支援的教育會產生些什麼效果，但不能在好壞的問題上下判斷。

上文提及，經濟學者也是人，有他們自己的價值觀。可是，在分析問題之際，他們也可能有意或無意地表達着某些效果是好或是壞的。客觀的分析與主觀的喜惡可能連帶在一起。
這沒有什麼不妥，雖然有時可能使讀者或聽者有了混淆。重要
的是，從事經濟分析的人要將主觀與客觀分辨清楚，不可以讓
主觀的判斷影響客觀的分析。這是説，假若一個經濟學者認為
政府支援教育是好事（主觀的判斷），他於是有意或無意地把分
析扭曲了，以致分析脱離了邏輯的規格，這就犯了科學的大
忌。

以考試分配我可多得美人

有時，一些經濟學者沒有説什麼是好是壞，卻使外人認為
他是作了這種判斷。例如，我説以市價為準則可以增加生產，
不少讀者會認為我説以市價為準則是好的。但我可沒有這樣
説。讀者以為我是説過了，因為他們認為增加生產是好事。在
報章上寫其他文章，為了要避免枯燥，有時我作好壞的判斷，
會表達自己的價值觀。然而，本書以《經濟解釋》為名，跟價
值觀無干。

很多讀者認為我信奉市場，對市場有特別的喜愛。相信市
場之能是對的，而我也深知市場有所不能。但我個人的價值觀
是反對市場，也反對共產制度，因為在競爭下，這二者我都難
以出人頭地。我個人喜歡的，是以讀書考試的方法來決定社會
財富的分配，因為我對一般考試的任何準則都有過人之處。很
可惜，今天世界上沒有什麼地區是以考試來分配財富或美女
的。（天曉得，舊中國考狀元，確有分配美女之效，但應該輪不
到我！）

第七節：經濟學的範疇

經濟學既然不能判斷好壞，那麼其範疇包括些什麼呢？答

案是，經濟學的範疇包括三部分。

第一，在知道有關的局限條件（constraints）或遊戲規則（即產權制度或人與人之間的權利劃分）的情況下，我們可以推斷所用的競爭準則是什麼。這是複雜問題，處理往往不容易，但學者願意付出代價，總有辦法做到。說起來，這是實證經濟學上最容易分辨高人與低手的地方。

世事如棋，局限條件千變萬化，任何分析不可能包羅萬有。有關的重要局限條件要抽選出來簡化。但什麼算是“有關”，什麼算是“重要”，分析者不能妄作判斷，或隨意取捨，因為這樣做，分析者可以隨意得到他希望得到的結論了。換言之，局限條件的取捨要有約束，而這約束需要理論。這是比較深入的有關方法論的問題，我會在卷四分析價格管制時討論。

第二——這是經濟學最容易的一部分了——是有了競爭的準則，經濟學可以推斷人的行為會怎樣，資源的使用會怎樣，財富或收入的分配會怎樣。上文說過，準則的不同會導致行為的不同，而勝負的人（收入的分配）也會跟着不同。房屋分配及排隊購物等例子屬於這一部分。

事實上，撇開五十多年來的發展不談，有二百多年歷史的西方經濟學，可取的（非價值觀而又有解釋能力的）都是這一部分。那所謂收入分配（income distribution）與資源使用（resource allocation 或 resource use）這兩大項目的劃分，是經濟學的傳統。今天經濟學的教科書還是這樣處理的，可惜往往錯得一團糟。

傳統的經濟學，關於收入分配與資源使用的分析，大都是基於以市價定勝負的準則。這準則只能在私有產權的制度下出現。換言之，傳統的經濟分析，雖然其上品可解釋收入的分配與人類的行為，但範圍狹窄。私有產權約束着的遊戲規則，只不過是千變萬化的規則中的一部分。假若我們熟讀一般經濟學教科書，不管是怎樣高程度的，我們能以之解釋的世事，範圍很小。墨守成規地學經濟，將課本唸得滾瓜爛熟，不一定稍知門徑，登堂入室更談不上。科學要活學活用，經濟學更是如此。

新制度經濟學令人失望

傳統的經濟學分析大都是以市價為準則，很狹窄，但這不是說不同的競爭準則經濟分析無能為力。五十多年來，那所謂新制度經濟學（new institutional economics）是試圖以基本的經濟學原理，擴展到五花八門的準則上去。可惜弄得一團糟，因為從事的眾君子用上太多空中樓閣的概念，犯了"看不到則驗不着"這個原則。不同的競爭準則當然會有不同的效果，但應該用同樣的理論基礎處理。只要我們能肯定地指出競爭的準則是什麼，推斷收入分配與資源使用的行為不困難。那是說，一旦弄清楚有關的遊戲規則（局限條件），斷定了競爭的準則是什麼，一個能手花不上幾天工夫就可以將競爭的行為推斷出來，其準確度跟自然科學相同。

經濟學範疇的第三部分，是最困難的了。那是要解釋遊戲規則是怎樣形成的。為什麼世界上有共產制度？為什麼香港當年有租金管制？又因為遊戲規則與競爭準則有直接的關係，所以這部分也是要解釋競爭準則是怎樣決定的。為什麼香港大學教師的居住單位要以分數配給？為什麼昔日的中國要論資排輩？

不同的產權制度是怎樣形成的？法律為什麼因時因地而變？香港的立法程序為什麼與臺灣的不同？什麼是國家？為什

麼要有國家？為什麼有些國家有憲法，另一些沒有？為什麼中國曾經出現人民公社？這些都是深奧的問題。

奇怪，有時經濟學者認為是高深莫測的經濟問題，不懂經濟學的卻認為是淺顯之極。後者喜歡在這些問題上滔滔不絕地大發議論，但他們的"解釋"與科學無關。若問香港的立法會議員：為什麼某法例通過了？他們總不免雄辯滔滔地議論一番。但假若我們細心地分析一下他們的"理論"，我們通常只得出四個結果：（一）他們所說的是特殊理論（ad hoc theory），毫無一般性的解釋力；（二）他們說的是套套邏輯（tautology），完全沒有內容；（三）他們說的是他們自己的價值觀（value judgement），與科學無關；（四）他們說的是謬論（nonsense）。

哈耶克（F. Hayek）曾經花了不少時間解釋這經濟學範疇內的第三部分的問題，沒有什麼大收穫。五十年來，政制或國家理論（theory of the state）成為經濟的一項熱門話題，參與的人不少，包括布坎南（J. Buchanan）、施蒂格勒（G. Stigler）、貝克爾（G. Becker）、諾斯（D. North）、德姆塞茨（H. Demsetz）、巴澤爾（Y. Barzel）等人，皆沒有重大收穫。當然，他們其他的研究是有收穫的。我自己曾在《中國會走向資本主義的道路嗎？》那小書內創立了一個政制理論，自覺滿意，但重視這理論的只有科斯和巴澤爾。一九八二年發表，這理論準確地推斷了中國的體制轉變。自己更為滿意的是二〇〇八發表的《中國的經濟制度》。

《經濟解釋》綜合作者在一門學問的一條路上走了五十多年的所得，而這裡說的經濟學最困難的第三部分，是作者四十五歲後的集中力所在，迄今三十多年了。二〇〇二年寫《制度的選擇》是為這部分下筆，二〇一四年再寫，有改進。

二○一六年又再寫，決定把《制度的選擇》分為《合約的一般
理論》與《國家理論與經濟解釋的理論結構》。這樣，《經濟解
釋》從二○○二年的三卷改為二○一四年的四卷再改為二○
一六年的五卷了。

參考文獻

A. Marshall, *Principles of Economics*. Macmillan, 1890.

R. H. Coase, "The Problem of Social Cost," *Journal of Law & Economics*, 1960.

A. A. Alchian and W. R. Allen, *University Economics*. Wadsworth Publishing Company, 1964.

A. A. Alchian, "Some Economics of Property Rights," *Il Politico*, 1965.

韓非子，"事因於世而備適於事"，《五蠹》。

張五常，〈千規律，萬規律，經濟規律僅一條〉，《信報財經月刊》，1979。

我要以數字來排列你的選擇，但數字本身沒有內容，怎麼辦？我可以說你選的數字是磅數，但"磅"是指重量，有所混淆。但我怎樣也要給這選擇排列的數字起一個名字，怎麼辦？我於是閉着眼睛，胡亂地打開英語字典，手指下按，開眼一讀，那個字是 utility——功用。

第四章：功用的理念

　　西方經濟學常用的 utility 一詞，神州譯為"效用"，但我認為"功用"比較恰當。關於譯詞，好些時我遷就內地的譯法，但這次不讓。"效用"過於真實，彷彿真有其事——例如我們說電力在什麼用途上會有什麼效能，通常是真有其物，可以觀察和量度的。中國的文化傳統從來沒有 utility 這個概念。文化不同，你有我沒有，翻譯就只能如瞎子過河，胡亂地摸索。真實世界沒有經濟學說的 utility 這種東西！在西方，utility 通常是指水、電、煤氣之類的供應，皆真有其物。但在經濟學上，西方用的 utility 一詞是空中樓閣，純是經濟學者的想像，不是真有其事也不是真有其物。

　　Utility 譯得不好不重要，因為曾經有百多年時間，西方的經濟學者也不清楚 utility 是什麼。故老相傳，他們以為自己知道，自己明白，但其實大家都不清楚。西方經濟學要到二十世紀中葉才能給 utility 一個明確的定義。話雖如此，到今天，好些經濟學者還是不懂 utility（功用）的正確定義。這些學者中不乏聰明才智之士，所以不可能是因為生得蠢而不懂。他們是不願意懂：要是他們明白而又同意本章說的"功用"理念，他們會失卻了改進社會之能，變得像我這樣，成為小人物了。

第一節：悲哀的發展

　　一七八九與一八〇二年，英國經濟哲學大師邊沁（J.

Bentham, 1748-1832）提出了功用（utility）這個概念。他知
道對後人會有深遠的影響。當年他寫到："我種下了功用的樹。
我把該樹種得深，散得廣。"

邊沁的原意有三方面。其一是功用代表快樂或享受的指
數。其二是每個人都爭取這指數愈高愈好。後者給自私的假設
數學化，後來微積分被引用到經濟學時，功用函數就大行其道
了。今天，功用函數在經濟學上還是極為普及。這可不是因為
功用的理念有不可或缺的解釋用途，而是適用於數學。善於數
學的可以容易地大做文章。

邊沁的第三個原意，是一個人的收入增加，其收入在邊際
上的功用會減少。他跟着假設每個人對收入的多少有相同的享
受，那麼富人的邊際收入功用低，窮人的邊際收入功用高，社
會整體最高的福利，是人與人之間的收入相等。這是平均主義
的理論基礎，也是今天還存在的福利經濟學的前身。

兩位大師否決邊沁

一個人的收入增加會否導致收入在邊際上的功用下降，大
有疑問，而今天經濟學者一致同意的，是人與人之間的功用指
數不能相比。一個富有的人對一元的看法，可能比一個街頭乞
丐重要得多。單是這一點，福利經濟（welfare economics）就
大有問題。一九五〇年，薩繆爾森（P. Samuelson, 1915-
2009）在一篇湛深的文章內指出，一個社會的總國民收入增
加，不管增加多少，只要有一些人（甚至一個人）的收入減少
了，經濟學就不能證實社會福利有所長進。

薩氏是福利經濟學的一個首要人物，連他自己也那樣說，
為什麼福利經濟在今天還有那麼多的從事者呢？我認為有兩個
原因。其一是上文提到的經濟學者認為自己有改進社會之能。

其二是經濟學者要改進他們自己的福利：可以改進社會，做個政府經濟顧問是會增加收入的。事實上，政府也樂於慷他人之慨，送納稅人的錢給經濟學者：政府官員為自己的利益要推行某項政策，總要找些經濟學者附和才來得順理成章。

最嚴重的功用問題是邊沁的第一點：功用是快樂指數。子非魚，焉知魚之樂？你怎可以知道我是快樂還是不快樂，又或是我今天比昨天快樂一點？江山易改，本性難移，好些經濟學者老是認為自己有超凡的本領，有上帝之能。功用被認為是一個快樂指數，今天某程度上還是存在的。

一九一五年，一個無師自通的俄國經濟學者——E. E. Slutsky（1880-1948）——用意大利文發表一篇舉足輕重的文章。他謝世後，一九五二年該文被譯成英語。這篇偉大作品的一個要點，是指出如果我們要用功用的理論去解釋人的行為，那麼功用的理念要與主觀的快樂或享受脫離關係。可不是嗎？要解釋行為，我們需要的是推斷人的選擇，或在什麼情況下人的選擇會怎樣改變。至於人的選擇是否以增加快樂為依歸，是無關宏旨，完全不重要的。

施蒂格勒大發牢騷

邊沁之後，參與功用理論研究的，差不多包括所有重要的經濟學者，天才輩出，好不熱鬧。很不幸，這些理論天才的工作，贏得的是一篇血淚史。一九五〇年，施蒂格勒（G. J. Stigler, 1911-1991）發表了題為《功用理論的發展》（The Development of Utility Theory）的長文，追溯百多年來功用理論的思想史，學究天人，文采斐然。在結論中施氏忍不住破口大罵：他認為經濟學者不熱衷於理論的驗證，以致眾多高手在功用理論上的刻苦耕耘，獲得的對人類行為解釋的貢獻，微不足道！

　　我很喜愛施氏在該文結論中的一段文字，一九六八年請他
用墨水筆寫在白紙上，讓我放在書桌旁作為自己研究時的警
句。墨色淡化了，但該手稿今天還在。我把它刊登在這裡，好
讓讀者能欣賞一下這位二十世紀天才的筆跡與風采。其文如下：

The Criterion of congruence with reality should have been sharpened — sharpened into the insistence that theories be examined for their implications for observable behavior. … Not only were such implications not sought and tested, but there was a tendency, when there appeared to be a threat of an empirical test, to reformulate the theory to make the test ineffective. … Economists did not anxiously seek the challenge of the facts.

George J. Stigler

"The criterion of congruence with reality should have been sharpened—— sharpened into the insistence that theories be examined for their implications for observable behavior. Not only were such implications not sought and tested, but there was a tendency, when there appeared to be a threat of an empirical test, to reformulate the theory to make the test ineffective. Economists did not anxiously seek the challenge of the facts."

George J. Stigler

翻過來是：

與事實相符的準則是應該尖銳化的——尖銳地堅持理論的含意要受可以觀察到的行為的審查。然而，不僅這些含意沒有被找尋及驗證，還有的傾向是，當一個含意受到事實驗證的威脅時，理論就被修改，使驗證無效。經濟學者不渴望事實的挑戰。

無論怎樣說，功用理論今天還是大行其道，所以我不能不花些篇幅細說其重點。

科斯和我反對功用分析

一九七二年我發表了一篇關於中國傳統婚姻的文章，是關於盲婚及童養媳等現象的。在最後一節中我大肆抨擊功用理論，認為其用途不大，可以取締。英國的《經濟學報》要發表該文，但要求減少五頁，我就簡單地把這最後一節取消。文章發表後，兩位行內名家來信抱怨，說我不應該取消他們認為是最重要的一節。這節的文稿後來遍尋不獲。

我反對功用理論的主要原因，是功用只不過是經濟學者想

像出來的概念，是空中樓閣，不是事實，看不到，摸不着，在
真實世界不存在，所以要推出可以被事實驗證的含意不僅困
難，而且陷阱太多，以致推出來的很容易是套套邏輯，自欺欺
人。

當時站在我那邊的是科斯（R. H. Coase），站在另一邊的
有三個我欣賞的人：弗里德曼（M. Friedman）、貝克爾（G.
Becker），與老師阿爾欽（A. A. Alchian）。他們要保留功用理
論，因為好些經濟物品──如友情、聲望、天倫之樂等──不
可以用金錢量度。他們認為不能用金錢量度，就要用功用數字
來量度了。這三位師友的觀點我不苟同，但先讓我解釋大家同
意的功用理念是什麼。

第二節：功用是數字的定名

一般而言，推斷或解釋行為或現象是需要量度的。要推斷
你在某十字街頭會向右行而不會向左，是因為向右會較快、較
安全，或較舒適，等等，這些都是量度。量度不需要有很多個
選擇（options），但起碼要有兩個。說甲比乙大就是量度，而
假若我說在某情況下你會取大不取小，就是推斷。

量度是排列：大小的排列、多少的排列、重輕的排列，等
等。假若排列的選擇太多，甲、乙、丙、丁……用盡還不夠，
我們就要用數字。數字是無限的。量度的定義，是武斷地以數
字排列。但數字本身是沒有內容的。我說十七、二十九，是在
說什麼你不知道。但若我說二十九磅你就知我是說某物體的重
量，也知道二十九磅比十七磅重。

武斷地以數字排列選擇

說一個自私的人要爭取自己利益的極大化，我們也可用數

字來排列這個人的選擇。假如我說在某情況下，這個人會選二十九而不選十七，那你會問，二十九或十七是什麼？

問題就在這裡。我要以數字來排列你的選擇，但數字本身沒有內容，怎麼辦？我可以說你選的數字是磅數，但“磅”是指重量，有所混淆。但我怎樣也要給這選擇排列的數字起一個名字，怎麼辦？我於是閉着眼睛，胡亂地打開英語字典，手指下按，開眼一讀，那個字是 utility——功用。

二十世紀中葉，經過百多年眾多學者的耕耘，可取的功用定義就是那樣簡單：不代表快樂，不代表享受，也不代表福利，功用代表的是選擇的排列（options ranking）。因為選擇數之不盡，我們就武斷地用數字，說數字較大的比較小的可取，或較小的比較大的可取，但不可以說大的小的同樣可取。

“功用”是武斷地以數字排列選擇的定名。數字是大是小不重要，重要的是次序：我們若說數字大的功用比數字小的可取，不能在中途反轉過來，說小的比大的可取。這是邏輯上的需要了。

基數與序數的分別

大致上，數字有三種用場，而其中兩種是量度的。第一種非量度的，是數字可用作鑑辨。例如你到馬場賭馬，每匹馬的身上都有一個數字，如七號、三號等。這些數字不論大小、快慢，而是作為鑑辨之用。買七號馬，跑贏了你就去收錢。

數字的其他兩個用場，是關於量度的。數字量度可以有兩種排列。一種排列的數字是可以加起來的，叫作基數量度（cardinal measure）；另一種數字只可以排列，但不可以加起來，叫作序數量度（ordinal measure）。

　　一尾魚是兩磅，一隻雞是三磅，二者加起來是五磅。磅是
基數。你要找一條八尺長的繩子，找不到八尺的，把三尺的與
五尺的加起來，就是八尺。尺也是基數。凡是基數量度，都可
以作線性變換（linear transformation）。舉個例：溫度的華
氏是基數量度，攝氏也是基數量度，知道華氏的度數，我們可
用方程式求得攝氏的度數，萬無一失。磅與公斤，碼與公尺，
皆可以作線性變換的。

　　量度功用的一個困難，是功用不一定可以加起來。一磅麵
包的功用數字是四，一盎司牛油的功用數字也是四，二者同
吃，其功用數字會大於八。一杯咖啡的功用數字是四，一杯茶
的功用數字也是四，二者同喝，每杯的功用數字會小於四。那
所謂可以相加的功用（additive utility），遇到互補物品
（complements，如麵包與牛油）或替代物品（substitutes，
如咖啡與茶）的情況，就有不容易解決的困難。

　　話雖如此，經濟學者曾經下過不少工夫，意圖以某種辦法
來使功用可以用基數量度，其中最精彩的，是二十世紀的數學
大師諾依曼（J. von Neumann, 1903-1957）與經濟學者摩根
斯坦（O. Morgenstern, 1902-1977）合作寫的《博弈理論與經
濟行為》一書，洛陽紙貴，在第二版（1946）中作者指出，在
有風險的情況下，功用可以用基數量度。但這量度需要四個假
設，其中兩個有問題。

第三節：費雪的貢獻

　　今天，經濟學者用的功用數字，一般是序數量度。序數量
度的數字不可以加起來，但可以排列次序。不能加起來的排
列，數字與數字之間的差距不能相比。一〇一比九十九大，
九十九比八十九大。前者的差數是二，後者的差數是十，但因

為不是基數量度，我們不能說後差數是前差數的五倍。

舉些例子吧。香港小姐選美，冠軍八十八分，亞軍八十二，季軍七十九，名次是排列了。但我們不可以說，冠亞之別，比亞季之別大一倍。舉另一個例，學生考試，老師武斷地以分數排列。在加大做學生時，一位同學問老師，考試的積分是怎樣算出來的。老師回應道："考試的積分只是武斷排列，不這樣做的老師會因為太蠢而不能在加大任教職。"文字題的考試積分是序數量度。

以序數排列功用，邏輯上沒有問題。說某人取甲而捨乙，是因為甲的功用數字大於乙，而若附帶的局限條件處理得恰當，某人的行為就被解釋了。但以序數量度功用，我們無從知道甲與乙的數字差別代表着什麼，也不知道這個人的總功用數字有什麼用途。二十多年前一位香港中學生的父親給我電話。他說兒子考試，老師問及總功用（total utility）的用途，兒子答不出來，因而不及格。這位父親問答案，我反問："你的兒子真的不知嗎？""不知。""那你的兒子比老師知得多了！"

解釋行為只需從邊際看

二十世紀最偉大經濟學者費雪（I. Fisher, 1867-1947）在一八九二年發表了他的博士論文，部分是關於功用理論的。那是一本天才橫溢的書，其中一個重點，是從解釋行為那方面看，基數排列功用是不需要的。這是因為在邊際上，基數排列與序數排列沒有什麼不同，而解釋行為單看邊際就足夠了。邊際功用是指物品多一點或少一點所帶來的功用數字轉變。從邊際上看，沒有什麼需要加起來，也無需比較功用數字的差距。

解釋行為只需從邊際的變動入手的論點，始於傑文斯（W. S. Jevons, 1835-1882），費雪重視，而後繼有人。一九四六年施蒂格勒指出，要是一個生產過程同時造出兩種產品，每種產品的平均成本我們無法知道，但邊際成本的變動我們是知道的。以解釋生產的行為來說，我們不需要知道平均成本。

後來我作交易費用的研究，單從邊際的變動入手。在真實世界中，交易費用不容易量度。可取的解釋行為的辦法，是判斷在不同的情況下交易費用會變高還是變低。變動是"邊際"，而假若沒有變動，行為是不能被解釋的。以邊際變動的方法來處理交易費用，其量度是基數還是序數沒有分別，而我們不要說基數量度比較精確，因為量度的精確性是基於觀察者的認同，而不是數字的詳盡。

英雄所見略同

讓我再說一次吧。功用只不過是武斷地以數字排列選擇的隨意定名，用以解釋人的選擇行為。這是我的老師阿爾欽說的。施蒂格勒說："無論我們假設一個人爭取最大的是財富，是宗教虔誠，是消滅唱情歌的人，或是自己的腰圍，對嚴謹的需求理論來說，是毫無分別的。"史托斯（R. H. Strotz）說："很明顯，我們無須判斷功用的量度是以金錢，或以散漫的時日，或以八度和音，或以英寸來支持，而我們更無須認為功用的量度是一個心理上的單位。"這些是二十世紀五十年代的智慧了。

第四節：替換定理與等優曲線

本卷首兩章我們談及，以理論解釋行為，行為一定要受到理論的約束。在局限下爭取個人的最大利益是一個約束，而有了功用的理念，就變為爭取最高的功用數字了。這約束是一個定理或公理（postulate），但解釋不了多少人的行為。說一個人做什麼都是爭取較高的功用數字，是套套邏輯，加以局限條件的變化，我們能推斷的只是一種經濟物品增加而其他物品沒有減少這一類的選擇。

願意替換不可能錯

替換定理（postulate of substitution）補加了約束，因而增加了解釋行為的範疇。這定理是這樣說的：每一個人都願意犧牲任何物品來換取任何其他物品。你同意不同意？你願意不願意以自己的生命來換取一碗魚蛋粉？這定理說你是願意的。只要你犧牲的夠少，而換得的夠多，你就願意。

你走過馬路去吃魚蛋粉，是冒一點點生命之險而去的——車禍的風險不是零。像其他父親一樣，我願為自己的兒女付出很大的代價——這是愛。但為了工作，我與兒女相聚的時間不多——這是愛與生計的替換。

不要說因為你是個有原則的人，有些原則上的事你半步也不退讓。人各有價，我自己的靈魂是可以出售的。叫價頗高，但假若你給我的好處很大，而我須放棄的原則微不足道，那我就跟你成交了。這是替換。

"等優"是正確譯名

因為每個人都願意替換，功用分析就創造了那有名的"等優曲線"（indifference curve 歷來譯作"無差異曲線"，既乏文采，也不正確；"等優"是我譯的，此譯名將會傳世）。因為願意捨甲而取乙，我們在甲乙兩種經濟物品之間很容易找到一條曲線，在這線上的每一點功用數字相同。"等優"是指功用數字相同，每一點不分彼此地同樣可取。以甲為縱軸乙為橫軸，這曲線一定是向右下傾斜的，代表着一個選擇者的等優替換。此線於是成為一條分水嶺，凡是線之右上的每一點，皆比線上的每一點有較高的功用數字，較為可取，而線之左下每一點卻相反。

在約束行為上等優曲線增加了用場。兩種經濟物品，人的選擇不需要甲、乙皆增，或甲增而乙不減，才算是優勝可取：一增一減可能是優勝的。等優曲線有無限多條，每兩條線永不相交，而右上的每一線的功用數字必定比左下的每一線為高。在局限約束下，一個人會選擇可以達到的功用數字最高的等優曲線。

第五節：內凸定理

我們可以安全地再增加行為的約束。這就是等優曲線一定是內凸（向左下彎曲）的，像《水滸傳》中的小李廣花榮的"彎弓如滿月"地向左下角彎之。（是打趣，不一定很彎，微彎也及格了。）這個約束（等優曲線不是直線也不向外凸）叫作"內凸定理"（convexity postulate）或"邊際替換意圖下降定理"（postulate of diminishing marginal rate of substitution）。

含意明顯不過。假若功用數字不變（在同一等優曲線上），一個人擁有甲物品愈多，其願意以乙物品替換甲物品的意圖必定下降。這定理安全可靠，但替換要在同一的等優曲線上。要是這個人的財富或收入增加，跳到功用數字較高的等優曲線，邊際替換的意圖就可能改變了。這是功用分析對行為推斷的一個大難題，使理論結構失卻了對行為的一個最重要的約束。這是後話。

空中樓閣用場不大

回頭説以同一等優曲線來推斷行為，內凸定理有一個結論，可惜用場不大。這結論是，如果某物品的價格下降，在同一等優曲線上這物品的需求量必定增加。這是因為價格永遠是相對的，説某物品的價格下降是指需要付出的其他物品的代價下降了。這樣，邊際上的替換意圖下降會促使價格下降了的物品的需求量增加。

困難是等優曲線與其功用數字是空中樓閣，是經濟學者想像之物，真實世界沒有這曲線，所以我們無從知道一種物品的價格下降，人的選擇是否還在同一曲線上。邏輯的推論是：價格下降，對一個消費的人來説，實質的收入會增加，所以這個消費者會跳到較高的等優曲線上去。更上一層樓，替換的邊際意圖可能改變了，那怎麼辦？

第六節：貧窮物品與吉芬反論

經濟學上 inferior goods 一詞，香港的教育權威譯作“次選貨品”，錯！內地譯作“低檔物品”或“劣質品”，也錯。我譯之為“貧窮物品”，雖然不雅，卻是對的。

什麼是貧窮物品呢？我的收入不高，喝啤酒，但昨天賭馬贏了十萬元，收入增加，轉喝葡萄酒，不喝或少喝啤酒了。窮時喝啤酒，收入增加轉喝葡萄酒，是某些人之常情。因為收入增加而需求量減少了的，稱為 inferior goods（貧窮物品）。但上述的啤酒可不是次貨，或是次選，也不是低檔。啤酒可能精美絕倫，但我就是賭馬輸了，或窮時才多喝一點。

這是説，啤酒與葡萄酒的相對價格不變，但我的收入增加或減少時，邊際上的替換意圖改變了，可能變到因為收入上升而少喝了啤酒。邏輯上，任何物品都可以是貧窮物品，而是或不是，每個人的選擇不同。

<h2 style="text-align:center">三管齊下沒有結論</h2>

上述的平凡現象及其正確邏輯帶來了一個嚴重問題。在整個功用分析中我們只有三個安全可靠的定理假設：其一是每個人爭取局限下最高的功用數字；其二是替換定理；其三是內凸定理。這三個定理都約束行為，但因為功用或等優曲線是抽象之物，無從觀察，可以推出來的驗證含意不多，所以解釋行為的用途也不大。

我們需要的是一個約束行為更強的定理，足以解決“功用”不是真有其物所引起的困難。我們問：假若要獲取某經濟物品的代價減少了，一個人對該物品的需求量是否必定增加呢？這是經濟學的重心所在，而直覺的答案似乎是：當然啦！然而，用以上的三個定理，這個代價轉變與需求量轉變的必然規律我們怎樣也得不到。

以價格作為代價吧。某經濟物品的價格下降，依照內凸定理，其需求量必定增加，但那是假設停留在同一的等優曲線上，功用數字是不變的。某物品的價格下降，消費的人無形中增加了實質收入，其功用數字是會增加的。價格下降的本身會導致該物品的需求量上升，但收入或功用數字的增加可能導致該物品的需求量上升或減少——這後者是“貧窮物品”的作用了。

<h2 style="text-align:center">吉芬反論是大麻煩</h2>

一種貧窮物品的價格下降，這下降的本身會使該物品的需求量增加，但價格下降引起的實質收入增加，會使貧窮物品的

需求量下降。二者相加，一正一負，需求量可能還會上升。然而，在邏輯上這一正一負也可能有需求量下降的效果。後者是有名的吉芬反論（Giffen Paradox）。

是馬歇爾（A. Marshall）在他的名著的第三版（1895）寫出來的。一位名叫吉芬的爵士（Sir Robert Giffen, 1827-1910）向馬歇爾提出如下的一個反論例子。麵包是一種主要的糧食，如果麵包的價格大幅下降，消費者的購買力上升，多吃了肉類，因而少吃了麵包。麵包之價下降，但需求量卻減少了。這反論使例子中的麵包被稱為吉芬物品（Giffen goods）。邏輯上，吉芬物品不限於麵包──任何物品都可能是吉芬物品。換言之，吉芬物品是貧窮物品推到極端：某物品的價格下降帶來的實質收入增加，導致該物品的需求量下降。這樣簡單地看，邏輯上是對的。

邏輯容許吉芬物品存在嗎？

吉芬物品這回事，任何唸經濟大學一年級的學生都耳熟能詳。然而，經濟學最重要的需求定律是說，任何物品的價格或代價下降，其需求量必然增加。吉芬物品的存在否決了這條不可或缺的定律。要怎樣處理呢？我們可以在邏輯上否決吉芬物品的存在。有兩點。

其一是所有經濟學者也奇怪地忽略了的：吉芬物品能在邏輯上存在，是因為我們單從個人需求那方面看，忽略了人與人之間的競爭。邏輯上，吉芬物品不可能在市場成交，而在沒有市場的制度下，這種物品也不會用作走後門，或私相授受，或用作政治交易，或以論資排輩來分配。這是因為吉芬物品不會有一個成交價（見第九章第一節）。換言之，吉芬物品如果在真實世界中存在，邏輯上它只能存在於魯濱遜的一人世界中。

魯濱遜的世界不可能有市場或任何社會制度的分配問題，但魯濱遜有需求，也要付代價。因為沒有人與人之間的競爭分配，邏輯上，在一人世界中吉芬物品可能存在。但吉芬物品不可能在社會競爭中存在。換言之，人與人的競爭淘汰了吉芬物品。

其二，馬歇爾在提出吉芬物品時，舉麵包為例。但麵包顯然是生產要素——所有消費品都是生產要素——因而會受到邊際產量下降定律的約束。因此，吉芬物品的存在是被這定律否決了。

二十世紀的價格理論大師如阿爾欽、施蒂格勒、科斯等人，用武斷的方法來否決吉芬物品的存在。問題是他們不能否決貧窮物品（inferior goods）的存在。否決其一而不否決其二，邏輯是說不過去的。所以我還是喜歡自己的讓市場競爭或邊際產量下降定律來淘汰吉芬物品。本卷第七章與第九章會再解釋清楚。

第七節：功用理念不用為上

回頭說"功用"這個理念，雖然在經濟學行內大行其道二百年，我自己經過慎重考慮之後決定不用。這是因為"功用"本身是空中樓閣，在真實世界不存在，是經濟學者想像出來的抽象之物，看不到則驗不着，我們無從以之作為假說驗證的根據。從經濟解釋的角度衡量，我的立場是多個香爐多隻鬼，無從觀察的變量可以不用不要用。"功用"是可以不用的。

當年老師阿爾欽站在貝克爾和弗里德曼那邊，認為"功用"要保留，要用。他的理由是好些經濟物品不能在市場成交，或無從以金錢量度，例如友情、聲譽等。阿師認為這些被稱為非金錢物品（non-pecuniary goods）的，只能以功用作量度。為這問題我想了好些日子，得到的結論是：沒有錯，好些物品不能在市場成交，所以其價值不能以市價量度，但經濟學有替換定理，那所謂非金錢物品可與金錢物品（pecuniary goods）替換，我們因而可以用金錢物品的價格變動來推斷或解釋非金錢物品的選擇行為。這是說，沒有市價，我們可用代價來處理非金錢物品。例如我正在大興土木修改《經濟解釋》，可用金錢量度的時間代價是增加了。為此，我跟子女們間長問短的時間減少了，可以看為我對他們的關懷（非金錢物品）是下降了的，割愛是也。前文提到的我一九七二發表的關於舊中國的子女產權及盲婚、童養媳等現象的文章，全部避開了功用這個理念。

不要中自欺欺人之計

我認為功用理論在行內盛行，主要因為這理論極宜用數學方程式處理，文章寫得有專業面目，比較容易發表。貝克爾（Gary Becker）是當代最善用功用函數（utility function）的人，而他的分析力是我見過最好的。但我不認為他的解釋力怎麼樣：他對世事的推斷頻頻出錯。是的，功用因為不是真有其物，其理論要多加手續才能驗證，在推理時容易中套套邏輯之計。說一個人跳樓、離婚、殺子等行為，都是為了爭取個人功用數字極大化，當然對，因為不可能錯。這是套套邏輯。貝克爾當然不是那麼低能，但同學們應該體會到功用分析是容易中這種計，而事實上頻頻中此計的行內君子無數。

阿爾欽當年說，以功用分析來解釋或推斷人的行為，有兩個條件。一、我們要知道怎樣以功用數字排列見到的不同選擇；二、我們要知道獲取這些選擇需要付出的代價。我同意，但我的回應是：如果知道這些，我們不需要功用這個理念。

　　可以驗證的假説，其中的變數一定是要真有其物，可以在真實世界觀察到。這種驗證，如果被事實推翻了，跟着的步驟是要再考查可能有關的局限條件，試行挽救。挽救不了我們就要放棄，另尋假説再作解釋。從善用功用函數的高人的作品中我領會到，不管他們的分析如何高明，因為"功用"不是真有其物，功用理論的最大弱點不是以之推出的假説難於挽救，而是過於容易挽救，以致假説其實是廢物作者也不知道。説這樣功用高那樣功用低不困難，但往往是中了自欺欺人之計。説過了，科學不是求對，而是求錯但希望沒有錯。

　　在我認識的經濟學朋友中，分析能力最強的是貝克爾。然而，在貝兄的多篇採用功用函數的文章中，我不認為他對行為或現象的推斷或解釋能令人信服。我認為他的作品不少近於套套邏輯，而他後期寫的專欄文字，尤其是關於中國的，顯示着他對世事知得不多。另一方面，貝兄論事客觀，分析力強，是值得我們仰慕的。

參考文獻

J. Bentham, *The Principles of Morals and Legislation*. Oxford University Press, 1789.

A. Marshall, *Principles of Economics*. Macmillan, 1890.

I. Fisher, *Mathematical Investigations in the Theory of Value and Prices*. Cosimo, 1892.

E. E. Slutsky, "On the Theory of the Budget of the Consumer," (1915), *Readings in Price Theory*, Richard D. Irwin, 1952.

J. R. Hicks, *Value and Capital: An Inquiry into Some Fundamental Principles of Economic Theory*. Clarendon Press ,1939.

M. Friedman and L. J. Savage, "The Utility Analysis of Choices Involving Risk," *Journal of Political Economy*, 1948.

G. J. Stigler, "The Development of Utility Theory. I," *Journal of Political Economy*, 1950.

G. J. Stigler, "The Development of Utility Theory. II," *Journal of Political Economy*, 1950.

R. H. Strotz, "Cardinal Utility," *American Economic Review*, 1953.

A. A. Alchian, "The Meaning of Utility Measurement," *American Economic Review*, 1953.

S. N. S. Cheung, "The Enforcement of Property Rights in Children, and the Marriage Contract," *Economic Journal*, 1972.

需求定律的價與量可以精細
如鑽石的瑕疵，可以粗略如
西瓜以隻計，也可以龐大如
整個經濟的所有農產品，或
工業產品，甚或舉世對地產
的需求。然而，無論是精
細，或粗略，或龐大，其處
理手法都是一樣。何謂價？
何謂量？需求曲線是指哪
價？哪量？量是有質的還是
委託的？這些問題不能避
免。

第五章：需求定律

在經濟解釋的範疇內，需求定律是我知道唯一不可或缺的理論。此前提及的所有假設及定理，全部或明或暗地包括在這定律的一條曲線之內。經濟學的其他理論要不是可有可無，就是可用其他的理論替代。好比產出理論中最重要的邊際產出定律，初出道時我用出了名堂，老來卻懶得用，因為可以需求定律替代。可不是嗎？我們吃的飯是消費物品，也是生產要素。

只有需求定律沒有其他可靠可用的理論替代，起碼到目前還沒有。一條曲線包含着那麼多的內容，變化說之不盡，牽涉到的概念博大湛深。因此，需求定律不容易學得到家。我是集中在經濟解釋的範疇說，而在這章之前及之後的分析，要不是示範着這定律的內容，就是示範着這定律要怎樣用才對。

需求定律（the law of demand）是說任何物品的價格下降，其需求量必定上升。古往今來，何時何地，不能有例外。這是說，以縱軸為價及橫軸為量，其中的需求曲線一定是向右下傾斜的。好些書本說有例外。這些作者不是把經濟學作為一門實證科學看。理由簡單，以理論解釋現象或行為，理論必定要有可以被現象或行為推翻的可能。這一點，我在第一章說清楚了。如果有例外的話，任何被推翻了的理論含意，我們就說是例外，那麼驗證從何說起呢？

需求定律是經濟學的靈魂。任何經濟學論著，我可以單看作者對這定律的操控就知道他的斤兩如何。這定律不需要在文字上提到，但內容上這定律要墨守成規——我在自己的博士論文《佃農理論》上就刻意地完全不提需求，向老師表演一下。

第一節：觀察與驗證

上一章談及，在功用分析的三個定理下，因為有吉芬反論，我們無從肯定價格下降與需求量上升的必然規律。這是說，功用分析附帶着的等優曲線分析可以推出一條需求曲線，但不一定是向右下傾斜的。這也是說，功用分析推不出需求定律。另一方面，需求定律不限於價格或市價的變動與需求量的關係。好些物品沒有市價，或者在某些制度中市場不存在，但需求定律依然適用。不用市價，我們可用代價或犧牲替代。換言之，任何局限的轉變都可以闡釋為代價的轉變，在沒有市場或性質上不能交易的經濟物品，需求定律依然可用。處理略為複雜，是後話。

如果功用分析的三個定理可以推出需求定律，則邏輯井然，極為美觀。然而，從解釋行為那方面看，只要我們能接受需求定律的本身是一個定理或公理（postulate），或接受我提出的在有競爭的社會中，邏輯不容許吉芬物品存在，或接受消費物品也是生產要素，要受到邊際產量下降定律的約束，那麼功用分析的三個定理是多餘的，沒有特別用途。這是因為需求定律的本身包括了這些定理的所有行為約束：價格或代價變動引起需求量變動，包括了功用分析中的替換定理，其對行為的約束高於內凸定理，還否決了吉芬物品的存在。再者，我們在第二章提到的自私的假設——個人在局限下爭取利益極大化——也是包括在需求定律之內，因為只要選擇是沿着需求曲線走，一定是遵守着個人利益極大化的假設。換言之，只要接受需求定律，等優曲線的分析是多餘的。還有，過後我會解釋，需求曲線對着鏡子看就是供應曲線，而沿着需求曲線的邊際用值反過來看就是邊際成本。這些變化在本書中我會不厭其煩地解釋，同學們在這裡不懂過後會懂的。這裡我只是要同學們有一個心理準備：需求定律是我知道的經濟學的靈魂，是經濟學唯一不可或缺的理論或工具。

無從觀察的需求量不能不接受和處理

需求定律的價格或代價是事實，原則上可以觀察到。但需求量是指需求者的意圖之量，在真實世界不存在。這樣，需求定律的本身是不能被驗證的。我們必須加上其他的驗證條件，即是加上可以觀察到的局限條件的轉變，才可以用需求定律推出可以被事實驗證的假說。下一章我會用好些實例作示範。我知道好些經濟學者以為需求量是真有其物，但正如其他科學那樣，經濟學也有大人與小孩之分。

這裡要說的，是假若需求定律的價格或代價是像需求量那樣無從觀察，非事實，那麼需求定律就不可能推出任何可以被驗證的含意，失卻了解釋行為的功能。只"需求量"這項我們無從觀察的變量就夠頭痛，不易處理，但可以處理。沒有選擇，我們要接受不是真有其物的需求量的挑戰。

抽象的空中樓閣，通常是理論的出發點，但為了驗證，我們的假說要推到可以觀察到的現象或行為那方面去。換言之，抽象往往是必需的，但一般來說愈少愈好。關於觀察，我們可分三類。第一類是無從觀察的，實際上不存在，說觀察得到是發神經。需求量是這一類，功用也是這一類。為了驗證，這一類當然愈少愈好。經過數十年的驗證操作，我不能不接受的無從觀察但要處理之物只有需求量。第二類是可以觀察到的真有其物。價格是這一類，雖然有時遇上要從代價的角度處理比較困難。第三類是原則上可以觀察到，但實際上觀察很困難，我們要想辦法找尋間接的替代來作驗證。經濟學上常說的邊際產量是這一類，真有其物，但不在人造的實驗室操控近於無從觀察。如果邊際產量只是想像，絕非事實，那麼經濟學上的邊際生產理論就會變得一敗塗地了。要記着，需求量屬第一類，是經濟學者的憑空想像，不是真有其物，但我們不能不接受，不能不面對。

求驗證不要門面裝修

"功用"（utility）也不是真有其物。功用分析只能推出需求曲線，但因為邏輯上有吉芬物品，推不出需求定律，是很可惜的事。另一方面，本章第五節可見，需求定律是不需要有"功用"這個理念的。需求定律對行為的約束比等優曲線的分析強，但牽涉到的概念與變化多，需要巧妙處理，不容易學得好。

今天的經濟學發展確是用上了太多的無從觀察的"意圖"或"動機"，說出好聽而又可信的故事，但無從驗證，違反了實證科學的本質。解釋行為需要以事實驗證假說，真實世界不存在的變量或術語愈少愈好。說故事與科學解釋是兩回事。

世界複雜。解釋世事理論以簡單為上。功用分析可用，但增加了理論的複雜性。數之不盡的以功用理論"解釋"行為的文章，揭開了數學方程式的面具空空如也。功用分析的好處是在高手處理下來得美觀、工整、層次井然，其壞處是容易中套套邏輯之計。需求定律可以完全沒有"功用"的內容，中計的機會較少。少了"功用"是少了一重門面裝修，迫使我們的注意力集中在解釋行為那方面去。較為簡單，可以較為容易地推出變化，而變化層出不窮的簡單理論是另一種藝術的美。話得説回來，嚴謹的功用分析可以解釋行為。不能説沒有用，但可以不用。需求定律是另一回事。

第二節：弗里德曼的分析

價格是一個變量（variable），需求量也是一個變量。需求定律是說這兩個變量的聯繫是負值或負相關的（需求曲線一定向右下傾斜）。然而，以一種物品來說，除了這物品的價格與需求量這兩種變量之外，可以影響該物品的需求量的其他變量或因素數之不盡。其他可變但假設不變的量（other things unchanged 或 ceteris paribus）稱為參數（parameters）。雖然我們否決吉芬物品能在社會競爭中存在，但不要那麼快就離開吉芬反論這個話題，因為我們可從挽救這反論中學得很多關於變量與不變量的處理學問，對理解需求定律重要。

要維護需求定律的解釋力，哪些量可變哪些量不可變是大話題。兩個原因。其一是經濟學者希望以處理其他變量的變或不變，來挽救因為有吉芬反論而推不出需求定律的困境。這點於我倒不重要，因為我已經用其他途徑否決了吉芬物品，但看看弗里德曼怎樣處理同學們可以學得一些可取的經濟學。其二是需求定律不可以假設上述的其他變量全部固定不變或全部皆變。那是說，需求定律的成立，除了該物品的價格及需求量之外，我們要放開某些變量可變，約束某些變量不可變。這樣，選擇什麼可變什麼不可變就成為一門學問了。

先談第一點：以選擇不變量的辦法來否決吉芬反論。我要談的主要是弗里德曼一九四九年發表的文章：《馬歇爾的需求曲線》（The Marshallian Demand Curve）。我認為弗老説的馬歇爾需求曲線不是馬歇爾的，而是弗老自己的。我也認為弗老文內的重點雖然精彩，卻有問題。此公天才橫溢，該文功力非

凡，做學生時我讀之再三，改變了我對經濟學的看法。不相信
弗里德曼是二十世紀其中一個經濟學泰斗的人，要拜讀該文。
我對弗老衷心佩服，也衷心感激他給我的教誨，但有時不同意
他。這是西方學術與東方學術的一個截然不同的傳統了。

弗老的《馬歇爾的需求曲線》博大湛深，說來話長。這裡
只評述他文內的一個重點。

從局部均衡看一般均衡

弗老關心的，是功用分析推不出需求定律——即是推不出
需求曲線一定向右下傾斜。這定律不可或缺，而若功用數字不
變（或實質收入——real income——不變），內凸定理就與需
求定律相等。問題是如果假設金錢收入（money income）不
變（一般的假設），價格下降會導致實質收入上升，那麼需求定
律會有吉芬反論的困擾。弗老問：需求曲線是應該假設金錢收
入不變還是實質收入（功用數字）不變呢？他的答案是二者大
致相同！這樣，需求曲線只可以向右下傾斜，成為定律。

弗老的推論是，在一個沒有失業的社會中，某物品的價格
下降不會導致人民的實質收入上升。這是因為價格的轉變只會
導致資源使用的轉移，不會導致社會的收入增加。那是說，功
用分析中的吉芬反論，只不過是局部均衡（partial
equilibrium）的結果。要是我們以社會整體的一般均衡
（general equilibrium）來看世界，吉芬反論不能成立。這
樣，需求就有了定律。

一般而言，弗老這分析是對的。困難是還可以有例外。例
如，一個農業經濟大豐收，農產品價格大幅下降，人民的實質
收入是增長了的。又例如，政府大事資助教育，學生的學費下
降至近於零，雖然社會的整體收入不會增加，但學生的實質收

入有增長，因而邏輯上吉芬反論可能在學生階層中出現。

沒有任何有斤兩的經濟學者不同意，如果需求定律不成立，整個經濟學的架構會塌下來，潰不成軍。嚴格來說，上述的弗老大文解決不了吉芬反論，但該文重要，因為他的局部均衡分析有一般均衡的內容。更重要的是在需求分析的變量與不變量的選擇這學問上，該文及弗老一九六二年出版的《價格理論》（*Price Theory*）教我們很多。

第三節：不變量的選擇

需求定律約束着價格或代價（一個變量）與需求量（另一個變量）之間的關係。然而，可以影響需求量的因素多如天上星，價格只是其中之一罷了。大雨連天，雨傘的價格上升，但其需求量是增加了。這現象沒有推翻需求定律：雨傘的需求上升，不是因為其價格上升，而是因為連天大雨。

"需求量"與"需求"不同。前者因為價格變動而變動。後者的變動，是因為價格之外的其他因素（變量）變動而變。連天大雨（是個變量），影響了雨傘需求，使整條需求曲線向右移動。因為這移動，需求量也就增加了，但這增加可不是由價格變動引起的。很明顯，要以需求定律來約束雨傘之價與量的關係，我們必須假設天氣不變。

正如上文所說，可以影響需求量的因素（變量）多如天上星，而價格只是其中一種。例如你跟老婆吵架，食量下降；風水先生說凡是純藍天就是你的不吉日子，你深信不疑，一見藍天就足不出戶，減少了你對計程車的需求。諸如此類的例子，我可以寫之不盡。

不變因素以少為上

以需求定律而言，你要哪類其他因素不變呢？這是不簡單的學問。如果你説，除了價格外，所有其他可以影響需求量的因素都不變，就會有這樣的問題：所有其他因素不變，價格又怎會變動呢？但如果你説所有其他因素皆可變，那麼雨傘的例子就推翻了需求定律。很明顯，需求定律是要有準則地選擇變與不變的因素的。

做學生時我為"其他不變量"的選擇問題花了很長時日。因為問題重要，而書本或文章説得不夠清楚，或過於複雜，又或可從不同的角度看，我逼着要想出自己的。我定下來的選擇準則是：只要需求定律的驗證含意不被事實推翻，其他的不變因素愈少愈好，可變量愈多愈好，因為這會增加需求定律的解釋現象的廣泛性。

在這個準則下，我認為如下的三項"不變"與"變"的界定是安全的──安全者，不被事實推翻也。

（一）凡是直接影響供應的其他因素皆可變。這包括所有供應變動會引起價格變動的因素。農業豐收（供應增加，價格下降）；政府減少土地供應（樓宇價格上升）。這些因素都是可變的。

（二）凡是直接影響需求的其他因素皆不可變。這包括金錢收入（money income）及所有價格不變或供應不變而需求量也會變的因素。上文提到的連天大雨與雨傘需求量就是例子。飛機失事天天有，機票銷量下降；某文學家獲諾貝爾文學獎，他的作品銷量上升等等。這類因素（變量）不可變。

要讓中間因素變動

（三）價格轉變會導致需求量的轉變，這價格轉變也可能導致其他因素的轉變，而這些其他因素可能再影響需求量。這些在中間的、間接地影響需求量的因素（變量）皆可變。舉一個例，咖啡的價格下降會導致咖啡本身的需求量增加，但同時也會引起糖的需求增加，這後者的增加會導致糖的價格上升，糖的價格上升會導致咖啡的需求減少，而這減少會導致咖啡的需求量減少。在這裡，糖的需求與價格是中間因素，可變。那是說，咖啡的價格下降導致其需求量增加，是需求定律，而在二者之間的所有可能影響咖啡需求量的其他因素（變量）皆可變。

這第三項重要。我們要讓這些中間或間接因素變動，因為我們要儘可能不考慮這些變量對需求定律的影響。如果我們要作這些考查，就變得夜長夢多，而假若需求定律被事實驗證推翻了，我們總可以這些中間因素為藉口，挽救該定律，也因而使該定律失卻了大部分的解釋力。

這第三項可以倒轉過來，從需求量的變動導致價格變動看，這二者之間的其他變量（因素）皆可變。這是重複了第三項。第三項開頭以價格為獨立變量（或自變量，independent variable），需求量為依變量（或因變量，dependent variable）。這裡倒轉過來，以需求量為自變量，價格為因變量。不倒轉或倒轉的分析效果相同。二者選其一，今天我們選前者：價格為自變量。昔日馬歇爾是選後者的。

我認為最精彩的關於需求定律的其他不變量（ceteris paribus）的分析，是弗里德曼的《價格理論》（*Price Theory*）一書內關於需求理論那一章。但弗老的分析過於複雜，不用方程式不容易說清楚。上文說的得到弗老的啟發，雖然角度不同，表面看不一樣，但大家的理論含意大致相同，可謂英雄所見略同矣。

第四節：品味不變的假設

在需求的分析中，品味或口味（taste）的轉變會影響需求，老生常談。品味的轉變，會使整條需求曲線向右移（需求增加）或向左移（需求減少）。我可能是唯一持不同觀點的人。我認為如果要以需求定律解釋行為，我們應該假設每個人的品味不變。

在哲理或信念上，我同意有品味這回事，也不能肯定品味不變。困難是我們不是上帝，不能判斷一個人的品味是怎樣的，也不能判斷這個人的品味是否改變了。經濟學所說的品味之變是一種遊戲：一個人的行為改變了，就說因為這個人的品味有所轉變。這是什麼科學呢？所有行為都可以用品味的轉變來解釋，我們還有什麼可以被事實驗證的假說含意呢？可以這樣說吧：凡是以品味的轉變來解釋行為的，皆低能也。

每個人天生下來，其品味是不同的。這點容易同意，所以我不能否認有品味這回事。但從科學驗證的角度看，以品味的轉變來解釋行為是空空如也。

舉些例子吧。前文提及如果飛機頻頻失事，這訊息會使機票的需求下降。但這是否因為需求者的品味變了，還是不利訊息對坐飛機的需求有負面作用？說訊息變會引起品味變可能是對的，但我們看不到品味之變，只看到訊息之變。單舉看不到的品味之變，我們無從推出可以被事實驗證的含意。但訊息之變是事實，可以推出機票需求下降的含意。這樣，我們是不需要知道品味是否改變了的。

　　舉另一個例。不喜歡聽古典音樂的人，若花點時間去試行欣賞，過了些時日，這些人會對古典音樂有好感，甚至着了迷。你説這些人對古典音樂的品味變了，我不會反對，但我們無需指出品味之變來解釋這些人對古典音樂的需求有所增加。我們只要指出這些人多聽了古典音樂，或文化的環境轉變了，或新交的朋友都是古典音樂迷，等等，就可推斷這些人對古典音樂的需求有所增加。

品味轉變是低能藉口

　　我不是説品味真的不會變，而是説以品味的轉變來解釋行為，不可能推出可以被事實驗證的含意。我們需要知道的，是品味轉變的成因。但如果知道成因，我們無需提及品味的轉變。

　　問題是這樣的。從來沒有人可以單以品味的轉變來解釋行為。這樣做是套套邏輯。要解釋需求的轉變，我們必須以可以觀察到的因素或局限的轉變為依歸。能做到這一點，品味就不需要提及了。

　　我不是説沒有品味這回事，也不是説品味不會變。一個人可能天生下來品味就固定不變，只是不同的訊息或經驗或學問影響了他的需求；一個人也可能因為訊息之變而變了品味。這些是經濟學之外的問題了。我堅持的，是經濟學不能以品味轉變為藉口，來解釋我們不能解釋的行為，或挽救被推翻了的理論含意。要廢除這些藉口，最簡單的辦法是假設每個人的品味不變。

第五節：用值與換值的理念

既然功用的理念可以用也可以不用，而理論又以簡單為上，我們不用算了。前文提及，需求定律不容許吉芬反論的存在，這定律對行為的約束比內凸定理來得強，所以，只一條向右下傾斜曲線，其解釋力就比整個功用分析來得廣泛。

說過了，需求定律是可以完全沒有功用（utility）的內容的。我們只要假設邊沁（J. Bentham）這個人從來沒有存在過。沒有邊沁，我們不妨再復古，對價值的看法回到經濟學鼻祖斯密（A. Smith）的巨著（1776）那裡去。斯前輩在他的《國富論》中提出兩個關於價值的理念，簡單而正確，可惜落筆打三更，對這些理念的分析他一開頭就想錯了，使後之來者漠視這些重要理念。

不要讓斯密不小心的錯埋沒他重要的對

對的理念，可以有錯的分析，而假若我們以為分析錯了所以理念也錯，是錯上錯。這是整個維也納邏輯學派的第一課。

斯密指出價值有兩種。其一是用值（use value），其二是換值（exchange value）。顧名思義，用值是某物品給予擁有者或享用者的最高所值，或這個人願意付出的最高代價。換值是獲取該物品時所需要付出的代價，而在市場上，換值就是該物品的市價了。

斯密落筆打三更。一開頭他談到鑽石與水的反論（paradox），說一件用值很高之物，其換值可能很低，而換值很高的，其用值可能很低。他舉例：水的用值很高，但換值（市價）很低；鑽石的換值很高，但用值很低。這個有名的"水與鑽石反論"，錯了三點。

其一，我們不能以鑽石與水相比，因為一克拉鑽石與一克拉水是完全兩回事。其二是斯前輩沒有結過婚（是否談過戀愛有幾個版本），似乎不懂女人的品味。鑽石對他這個以心不在焉而知名天下的教授來說，可能沒有什麼用值，但對女人，鑽石的用值何其高也。從選擇的角度看，一個女人自願地出十萬元（換值）買一粒鑽石，對她來說其用值必定不低於十萬元。除非一個人作了錯誤的選擇，用值是不會低於換值的。

其三——最主要的——是斯前輩當年還沒有邊際分析的理念。水的用值的確很高；水的換值的確很低。但在邊際上，水的用值是很低的。我們今天在家裡多喝一杯水（邊際之量），其水費（換值）不到一分錢，而這杯水的用值也不到一分錢。這與在沙漠的情況不同。我們在家裡喝水是喝到不想再多喝一口的。鑽石呢？女人所好，風光所在，且物以稀為貴，其邊際用值是很高的。

錯歸錯，對歸對。撇開上述的幾點謬誤，我十分喜歡斯前輩提出的用值與換值的理念。這些理念簡而明，不抽象，對我這個要以理論解釋行為的人來說，可謂正中下懷矣！這裡要指出一個重點。斯前輩提出的用值與換值並非空中樓閣，不是沒有其事，而是在原則上可以從代價或市價的變動來衡量它們的變動，可以觀察到，不是“功用”那種憑空想像。我認為以斯前輩的用值理念取代了功用的內容，是需求分析的一項很大的改進。

第六節：何謂價？

何謂價？價是一個消費者對某物品在邊際上所願意付出的最高代價。在邊際上，他願意付出的最高代價為何？答曰：是該物品在邊際上的最高用值。以市場來說，換值是市價。某物

品 的 邊 際 用 值（marginal use value）比 市 價（換 值，exchange value）高，消費者會多購一點；若比市價低，這消費者當然不會購買。這是個人爭取最大利益的假設使然。如此一來，在均衡上，市價會與邊際用值相等。這樣，市價就是邊際用值。（在本章第八節我們談到消費者的盈餘時，市價可能是平均用值。這是後話。）

掌握變化重要

有了上述關於"價"的理念，我們還有幾個重點要澄清。

（一）我們談及，好些物品沒有市場，或屬前文提到的非金錢物品，或在某些制度下市場不存在，所以沒有市價。沒有市價我們就要談代價了。市價是代價，但代價不一定是市價。以代價（以其他物品替換）來說，人的選擇均衡點是代價等於邊際用值。沒有市價用代價，我們要靠可以觀察到的局限轉變作判斷，也要靠替代定理來譜入需求定律中。這些我們談過了。

（二）價格永遠是相對價格（relative price）。因為沒有不相對的價格，"相對"一詞可以省去。代價也如是。所謂相對價格，是指甲物品之價，永遠是乙物品或其他物品要付出來替換的"量"。我們若以金錢作甲物品之價，這金錢是代表着要付出的乙物品或其他物品之量。金錢只是一個替代數字，替代要付出或要放棄的物品的邊際用值。

在一個沒有市場的制度中，金錢之價就談不上。我們只能以代價分析，而這代價也是要付出或放棄的物品的邊際用值。沒有市價，分析比較困難，但因為有最高代價的指引，我們可說要放棄的是需求者正在擁有的。

（三）價格通常用現值（present value）量度——將來才付之價要用利率折現（discounted）。這是因為選擇的決定通常是現在的：今天決定明天才決定，是今天的決定。在沒有市場的情況下，市場利率不存在，分析就比較困難了。一方面，我們要用上文提到的最高邊際代價；另一方面，我們要以其他的現象來把時間所值作客觀的判斷。關於時間與利息，本書卷二會作闡釋。

（四）價格或代價有動態，有流動（flow）與靜止（stock）之分。按期付款（如租金）是流動；一次付款買房子是靜止。有時我們不談流動或靜止，而是談一剎那（one instant of time）。後者很常用，是指不考慮時間問題的。重要的有兩點：其一是價的動態必定要與量的動態相同才沒有分析的矛盾；其二是只要價與量的動態相同，需求定律沒有例外。換言之，從時間與動態這兩方面看，同一分析這二者要相同。

第七節：何謂量？

價歸價，量歸量。二〇一〇年的一個晚上，午夜思迴，我無端端地想到在價與量的轉接中，存在着一個有趣的"隔離理論"，跟着用不上兩個小時，就解通了困擾經濟學者百多年的共用品這個難題。我要到本卷第八章才分析這個隔離理論。這裡簡要說一句，任何物品在市場成交，出售者選用的量是隔離其他不付費而又希望享用該物品的人。隔離不了就成為共用品，難以收費。

這裡談"量"，我要首先指出，成交量與需求量是兩回事。成交量是事實，是可以觀察到的。一種物品的購買量與出售量永遠相同：二者是同一回事，是成交量的不同角度罷了。需求量卻不是事實，無從觀察，是個概念，沒有經濟學者"需求量"是不存在的。

　　需求量是指在某價格下一個消費者意圖換取的量，而供應量則是出售者的意圖，二者皆非事實。因為只是意圖，需求量與供應量不一定相等。經濟學者提出均衡這個理念，說在均衡上需求量與供應量相等。均衡也非事實，是靠經濟學者的思維而存在的。不要把購買量與需求量混而為一，也不要把出售量與供應量畫上等號。

　　概念上，需求量是指在不同的價格（換值）下，消費者意圖換取的最高的量。需求曲線於是成為在不同價格下最高的不同需求量的界線。要注意，價是局限，需求曲線是邊際用值曲線，沿着該線選擇是在局限下爭取利益極大化。這就是我們在第二章說的自私的武斷假設了。

　　量——無論需求量或成交量——頗為複雜，但有趣味。我認為"量"可分"有質"的與"委託"的兩大類，也有二者的合併。且先談有質的量吧。

鑽石的例子

　　你到市場購買黃金，說明是九九金，量以克計。金就是金，一克金就是一克金，比半克多一倍，比兩克少一半。此乃有質之量也。

　　你給女朋友買鑽石，買一克拉（carat），此鑽石之大小也，量也。然而，除克拉量外，鑽石還有其他的"量"被量度了而又算了價的。色澤（九七色、九六色等），瑕疵（VVS1、VVS2等），切工（cutting）都是被量度了的質量，各有各之價。這樣，你花十萬元買一克拉鑽石不是只買一克拉那樣簡單，而是買四種質量的合併：克拉量、色澤、瑕疵、切工。要是你跑到一間鑽石批發商那裡購買，他可能把數以百計的鑽石放在你的面前，四種質量的組合有多個選擇，你選了一粒一克拉的，價十萬，但其實四種質量都被量度了，都有價，你付的是四個價的組合。

鑽石的需求曲線，所指的量是什麼呢？答案是其實有四條曲線，四價與四量。因為克拉量的數字排列可以無數，以克拉為量最普遍，但若單以克拉為量，其他三種質量是要假設不變的。凡是質量被直接量度而算價的，是有質的量。重要的是，如果其他三種質量自由變動，那麼單以克拉為量的鑽石需求曲線就不一定向右下傾斜了。

我可以舉另一個類同的例子。在美國，你到市場買雞蛋，以“隻”為量。農林處定下來的準則，雞蛋有特大、大、中、小之分，也有 AAA、AA、A 等級別。這後者是按蛋黃的堅實度而定的，蛋黃愈堅實愈值錢。雞蛋的例子，隻是有質的，因為大小與蛋黃的堅實度是質，都被量度了，各自算了價，雖然比不上鑽石算得那樣吹毛求疵。

委託量是重要思維

轉談“委託”量這個理念吧。委託，英語稱 proxy，我以之作為量的一個觀點是一九六九年在香港跑工廠調查件工合約時想到的。一九八三年發表的《公司的合約本質》以之作為重點處理，科斯讀後認為重要。其後二○○二年寫本書卷三的初版時，分析合約的履行定律與合約的一般理論，我再用“委託”這個理念。

舉個例，工廠以件工算工資，以每件產品或產品的局部算，屬“有質”的，因為是直接地以產品作價。如果工資以時間算，時間只是個委託之量，本身不代表工人操作的貢獻，不一定有所值。工作時間只是代表着一個工人在一段時間內可以產出的大約估計。為什麼有時採用件工，有時採用時工，在監管與運作上的差別廣泛地牽涉到交易費用這個話題，要到卷四才討論。我在那裡提出一個"履行定律"，其大意是説指定了作價的量，出售者會傾向於履行合約的指定，瞞騙的行為主要源於沒有被量度的質或量。關於這點我會提到訊息或交易費用。

這裡要指出的，是在大家熟知的產品市場上，委託量的採用也常見。需求定律永遠用於價格及其直接聯繫着的量之間的關係。可以很複雜：某產品以一個委託量算價，也同時以幾個有質的量算價，處理就成為上文提到的鑽石例子加委託的量與價。同一物品有關的需求曲線可以有好幾條，但要記着，需求定律的約束，永遠用於價與該價直接聯繫着的量之間的關係。

在產品市場找委託量的例子，我喜歡舉維他命丸的銷售。你去買多種維他命合併的丸子，表面算價之量是以"瓶"計的。但瓶子本身與維他命沒有關係，是"無質"的。瓶子只是維他命丸的委託（proxy）算價單位。但這裡的委託是很清楚的。瓶外説明內裡有丸一百粒，而每粒容納多種維他命的不同分量説得清楚。這些不同分量是量度了的，也算了成本，但我們買的是一瓶瓶的委託瓶子。究竟説明的多種維他命是真是假，又是增加交易費用的問題了。

以無質的委託瓶量而言，維他命丸的例子是我們在市場上最常見的質量被説得最詳盡、最明確的例子了。然而，因為價是每瓶計，一個消費者只能追尋邊際上一瓶的最高用值與瓶價相等。除非是萬中無一的機緣巧合，丸子的邊際用值，尤其是每種維他命的邊際用值，就不能與它們之價相等了。這與選購鑽石的例子是不同的。

在上述的維他命丸的例子中，需求定律只宜用於瓶價及委託的瓶量。雖然丸量與各種維他命的分量都說是量度過，都算進了價中，但這些質量的需求曲線不一定向右下傾斜。某些維他命的某些分量可能被消費者認為太多，少一點他可能願意付較高之價。但這並沒有推翻需求定律，因為這定律的需求曲線只是約束瓶價及瓶量的關係。換言之，多種維他命的量沒有直接地以價聯繫，需求定律用不着。

西瓜與香柏圓件的例子

再讓我轉到西瓜的例子。西瓜通常是以磅或公斤出售的。這是以重量算價。西瓜的重量與上文的瓶子不同；重量的本身代表着西瓜的某些質量。問題是，購買西瓜，消費者重視的是糖的成分，水的多少，維他命 C 的分量，與西瓜纖維的可口度。這些質量是完全沒有量度過的。購買西瓜的人只能自作估計，試行選擇。如此一來，這些重要的質量只能委託於重量那裡去。

西瓜在美國加州豐收時，農村路旁的西瓜檔往往不算重量，而是以“隻”數算價。西瓜的大小不同，但卻是同價。以隻為量，其委託之質又多了一點。

這使我想起美國的 cedar round 市場。Cedar 是香柏樹，其木質不容易被蟲蛀食，市場喜歡把樹幹橫切成大約六吋厚、十多吋直徑的圓件，作為花園所用的步行墊子。這些香柏圓件大小不一，但往往同價。出售的人喜歡讓顧客自行選購可取的，剩下來的減價銷售。減價後顧客再選一段日子，剩下來的又再減價。這種做法顯然是因為出售的人要避去親自挑選、分等級來定不同級價的費用。出售者要讓顧客自己分等級。這樣一來，在一層一層的減價時，價的下降不一定導致需求量上升。這可沒有推翻需求定律，而是因為減價時，香柏圓件的等級質量下降了。

需求定律用於價與量的直接聯繫

我希望上述的幾個例子，能使讀者知道，同樣的一條需求曲線，在不同的人的手上可以有截然不同的威力。一方面理論要簡化，另一方面其重心要拿得準，而真實世界的現象要觀察入微。一般來說，解釋行為絕不是一些政府的統計數字加上幾條方程式就可以辦到的。

需求定律約束着價與有關的量的規律，其量可能是有質的或委託的，或是二者的合併。重要的是價與量必定要有直接的聯繫：有關的量是價直接地表達着的量。然而，從鑽石的例子可見，買一粒鑽石的需求曲線有好幾條。維他命丸的例子，一條曲線，多種維他命的組合，量是委託於無質的瓶子。這裡，需求曲線只限於瓶價與瓶量，各種維他命的分量是預定的組合，算了的不同分量沒有被不同的價表達出來，不能局部成交，所以個別的需求曲線就談不上。當然，在市場上，我們可以找到單一維他命的獨立瓶子，但那是另一條需求曲線的範圍了。

西瓜的例子，需求曲線是指價與重量，或價與隻數，但糖、水、纖維等質量沒有量度出來，只是消費者相信有個大概的組合。香柏圓件的例子，需求曲線是指價與件，雖然件件不同。顧客選購了一遍，次級的減價後再選，是另一條需求曲線的範圍了。

需求定律的價與量可以精細如鑽石的瑕疵，可以粗略如西瓜以隻計，也可以龐大如整個經濟的所有農產品，或工業產品，甚或舉世對地產的需求。然而，無論是精細，或粗略，或龐大，其處理手法都是一樣。何謂價？何謂量？需求曲線是指哪價？哪量？量是有質的還是委託的？這些問題不能避免。

第八節：消費者的盈餘

消費者的盈餘叫作 consumer's surplus，是需求理論中的一個重要話題，對解釋行為大有用場的。一八四四年，法國經濟學者度比（J. Dupuit）首先提出這個概念，十九世紀末期馬歇爾定其名而加以發揚。馬老的學生庇古（A. C. Pigou, 1877-1959）大手地帶進他極力倡導的福利經濟學那方面去。不幸的是，庇古認為消費者盈餘對解釋行為沒有用場（這個福利大師對解釋行為的貢獻是零）。從馬歇爾到今天，這盈餘大都用於與解釋行為無關的福利量度上，浪費了一個重要的解釋行為的工具。

以消費者盈餘作為解釋行為的工具，曇花一現，限於五六十年代的芝加哥經濟學派。該學派當時對價格安排的現象有興趣，而與連銷或捆綁銷售現象合併起來的學問，是該學派獨有的了。雖然這裡的學問十分精彩，有關的文章或論著卻甚少。這是因為該學問主要是芝加哥元老戴維德（A. Director, 1901-2004）的口述傳統。戴老平生喜歡讀，喜歡想，喜歡談，卻不喜歡寫。我應該是承受了戴老傳統的最後一個人。

盈餘是用值與換值的差額

要細說消費者盈餘，最好是從斯密的價值理念說起。前文提及，斯前輩認為水的用值甚高，而其換值甚低。簡單地說，用值與換值的差額就是消費者的盈餘了。

以水為例吧。你在家中很口渴，但沒有水或其他飲品、生果之類，又因某些緣故不能出外找水喝，你願意出多少錢買一杯清潔的水呢？説一千元可能是低估的了。家中有水了，一杯之價只一分錢。你第一杯的最高的用值是一千元，你願意出這個價，但你只須付一分，其差額就是你的盈餘。當然，家中有了水，你喝呀喝的，喝到你不要再多喝時，最後一杯的最高用值只是一分錢。在邊際上，水的最高用值與價（換值）相等，消費者的盈餘是零。但邊際之前的每一杯水，其用值是高於換值的，每杯皆有盈餘，這些盈餘加起來，就是消費者的總盈餘了。

假若一個蘋果的市價（換值）是二元，你買五個。第五個（邊際）的最高用值當然也是二元，否則你會多買一點或少買一點。這第五個的消費者盈餘是零。然而，第一個蘋果你願意出十元之價（你的最高用值），第二個是八元，第三個是六元，第四個是四元，第五個才是二元。你每個須付之價只是二元。這樣，你的消費者盈餘是八元、六元、四元、二元、零，加起來是二十元。

對你來説，五個蘋果的最高總用值是三十元（十加八加六加四加二），總換值是十元（二乘五），消費者盈餘是二十元（三十減十）。五個蘋果，你最高的平均用值是六元（三十除以五），每個蘋果的平均盈餘是四元（六減二），總盈餘（四乘五）也是二十。

出售者榨取盈餘的方法

我是賣蘋果的人。在有競爭的情況下，同行的每個賣二元，我只能跟大市要價。但如果我是唯一的出售者，而我又知道五個蘋果你最高願意付三十元，其中二十元的盈餘我當然希望可以兼得。那怎麼辦？我有三種辦法。

第一種辦法是最困難的。你買第一個蘋果我收你十元之價，第二個收八元，第三個六元……這樣，你買五個的總付價是三十元而不是十元了。你的消費者盈餘（二十元）是給我榨取了。困難是你會騙我，說一個小時前跟我買了四個蘋果，現在買的是第五個。

你騙我？我還有兩個辦法可以榨取你的盈餘。其一大方得很。每個蘋果收價二元，買多買少隨君便（我知道二元一個你會買五個），但你要先給我二十元入場費。這入場費就是你的消費者盈餘了。

全部或零是重要思維

最後一個辦法是不收入場費的。我說每個蘋果收價六元（你五個蘋果的最高平均用值），但你一定要一起買五個，不然一個我也不賣。你一起買五個，付我三十元，其中二十元的盈餘就給我榨取了。（不要與六瓶啤酒一盒的現象混淆，因為啤酒有競爭，也同時同地有散賣。六瓶一盒是量多節省交易費用，打個折頭。）

"全部或零"有個名堂，叫作 all-or-nothing。全部或零之價（上述蘋果每個六元）是最高用值的平均價，消費者盈餘包括在其中。一般常用的需求曲線，是每價任君買多少。但若每價都規定要買全部，要不然一個也不能買，這條需求曲線就變作全部或零的需求曲線（all-or-nothing demand curve）。在這曲線上，消費者的盈餘是零。在《何謂價？》那節中我說價是邊際用值，但以全部或零的需求曲線來說，價是平均用值。（用值，不管邊際或平均，永遠是指最高的。）這也是說，常見的任君買多少的需求曲線是邊際用值的曲線，而全部或零的需求曲線則是平均用值的曲線。（前者，是否貧窮物品會有少許的差異，不重要。）

以上的榨取消費者盈餘的分析，有一點小枝節。消費者的盈餘被榨取了，他的收入或財富下降了一點，因而可能少購一點。另一方面，如果該物品是"貧窮物品"（inferior goods），消費者會因為窮了一點而多購一點。這裡我們假設這些小枝節不存在。

上文可見，一個有專利，或壟斷，或所謂寡頭的銷售者，有意圖去榨取消費者的盈餘。好些困難可能使他不這樣做，這是後話。這裡我要指出的，是一般書本分析的專利或壟斷或寡頭的定價行為，往往胡說八道。

三個定義其實一樣

再回頭看蘋果的例子，如果每個只賣二元，消費者盈餘沒有被榨取，那麼指定了需求量（例子中說是五個），消費者盈餘可以有三個定義，是從不同角度看同樣的盈餘：

（甲）消費者盈餘是一個消費者願意付出的最高換值（三十元）與實際換值（十元）的差額。

（乙）消費者盈餘是一個消費者的總用值（三十元）與總換值（十元）的差額。

（丙）消費者盈餘是一個消費者在全部或零的選擇下願意多付的最高差額（二十元）。

蘋果的例子可不是沒有真實世界例子對照的空中樓閣。讓我先談一個假設的例子，然後轉到真實世界那裡去。

會所的解釋

假設這樣。某地方政府租一個大水塘給我，讓我在那裡殖魚供顧客用小艇垂釣。如果每次供應一個釣客的成本是二十元，而我收二十元，該釣客每年會光顧八次。我知道他八次的平均用值是五十元。問題是，如果我每次收他五十元，他每年只光顧三次。我希望他每年光顧八次，又要每次平均收他五十元。怎麼辦？一個辦法是每次收二十元，但每年他要給我二百四十元（三十乘八）的會員費，不是會員不能光顧。這二百四十元是光顧八次的消費者盈餘，而每次收費二十元，只要二百四十元的會員費不會影響他的需求下降，他是會每年光顧八次的。這是說，每次收費五十元會大幅地影響這顧客的邊際需求量，但每次二十元就沒有什麼邊際影響了。二百四十元的會員費是全來八次或全不來的選擇，與全部或零的安排是一樣的。

當然，讀者會問：每個顧客的需求曲線不同，我們怎可以單為一個顧客定會員費呢？這是個好問題，我要到卷三才作答。

轉到真實世界吧。今天的香港及內地有很多會所，什麼美國會、馬會、高爾夫球會、鄉村俱樂部之類，他們都收入會費，另加年費或月費，而內裡供應的食品或服務是比外間市場便宜的。這些會費或年費或月費皆從消費者盈餘中抽取，不一定抽得很盡，而會場內較為廉價的供應是鼓勵多光顧，有多一點消費者盈餘可抽。三十年前香港某高爾夫球會的會員資格值六百萬港元以上。老會員的消費者盈餘何其高也！

美國迪士尼樂園的實例

我認為最有趣的榨取消費者盈餘的實例，是美國的迪士尼樂園昔日的收費安排（不知今天有沒有變）。該樂園給予未入園的顧客兩種選擇。其一是顧客先付一個可觀的入場費，進場後顧客要選享哪些項目絕對自由，但每項要另收費。其二是顧客可購買一本有多個項目的冊子，有了冊子就可免費入場。顯而易見，這兩種安排都是"全部或零"的化身。

顯而易見，因為顧客的需求曲線各各不同，多些不同的收費安排，榨取消費者盈餘可以榨得盡一點。難怪迪士尼樂園還對學生呀，老人呀，富有的、不富有的遊客呀有種種的不同收費安排了。這些不同的安排牽涉到另一個重要話題，也要到本書卷三我才作分析。那是價格分歧（price discrimination）。

第九節：需求的價格彈性

價格下降，需求量上升——這是需求定律。但價格下降，購買者對該物品的消費總額可能下降也可能上升。從出售者那邊看，減價後的收入可能下降也可能上升。其決定關鍵是需求的價格彈性（price elasticity of demand）。

價格彈性是一個係數（coefficient），由一條很簡單的方程式算出來。十九世紀後期，好些經濟學者要找這簡單的方程式，但莫名其妙地找不到。一八八一年底，馬歇爾和太太在西西里島度假時，他喜歡在一間小賓館的天台上工作。一天下午他從天台下來，對太太說："我剛剛發現了需求彈性係數！"

今天，除價格彈性外，還有數之不盡的其他彈性係數的方程式，可以搞得非常複雜。不幸的是，對解釋行為來說，彈性係數的用場不大，所以不重要。（估計社會福利的轉變——如果你相信有這回事的話——彈性係數是重要的。）

只談需求的價格彈性算了。價格下降，本身導致消費減少；需求量上升，本身導致消費增加。結果的消費總額的增或減就要看這二者的分量哪方面比較重了。馬歇爾當年"破案"的關鍵，是二者的分量比對要以百分比處理。價格彈性係數的方程式是把量的百分比轉變放在上頭，價的百分比轉變放在下面。價格下降，上頭的量的上升百分比若比下面的價的下降百分比大，那麼彈性係數就大於一，說是有彈性（elastic）。這樣，價格下降會導致消費增加（出售者的收入增加）。彈性係數若小於一，是無彈性（inelastic），消費會減少。

價格有彈性（係數大於一），價格與總消費背道而馳。價格無彈性（係數小於一），價格與總消費並駕齊驅。要記着，價格彈性係數是從一個價位來算的。一條需求曲線有數之不盡的價位，價格彈性係數可以價價不同：曲線上某部分的彈性係數大於一，某部分小於一。

不能預知用途不大

需求的價格彈性對解釋行為幫不到多少忙，是因為我們不容易（其實不能）預知這係數的大約數字。雖然需求量我們看不到，但因為有需求定律，我們知道若價格下降，需求量是會上升的。用價格的彈性係數，我們就沒有這種方便了。

舉一個例。一九九七年香港新建的西區海底隧道，是私營的，經營者當然要增加收入。該隧道開始收費三十元，生意不好，用幾種方法打個折頭。後來生意好一點，收費提升到四十元。這提升使收入下降（彈性係數大於一），收費減至三十五元。多一輛車過隧道的服務、維修費用等近於零，所以該隧道主要是爭取最高的總收入。說不定收費二十元的總收入會比收三十五元或三十元高得多。

舉另一個例。多年以來，香港政府每次加煙、酒稅，都先行預測庫房的收入會增加多少。但經驗是政府這種預測從來不準確，與街上擔瓜賣菜的差不多水平。要是香港政府求教於我，要我替他們預測加煙、酒稅後的庫房收入增加多少，我的

本領也只能如擔瓜賣菜之輩矣！困難所在，是大家都不知道
煙、酒需求的價格彈性。

一錯一對的實例

不能預知價格彈性係數，但可以試行自作聰明地猜一下。
不久前我為某出版商的刊物作了兩次猜測，一錯一對，打個平
手。

第一次是我替周慧珺老師出版的影碟，是教書法的。我
想，周老師的示範神乎其技，市場上沒有相近之物可代替，而
學書法的人找教師上一課，要百多二百元，周老師的影碟是可
以看完再看的，看之不盡，售價若是五十元，其彈性係數應該
小於一，售價一百元應該沒有問題吧。殊不知大有問題，價是
開得過高了，猜錯了價格彈性係數。

第二次是幾年前自己以舊文重組的關於教育及學術的兩本
書。這兩本書編得很用心，自覺滿意的。出版商問我定何價？
我細想之後，說一百港元，比通常的高一倍。何也？我認為這
兩本書在市場上沒有相近的替代讀物，價格彈性係數應該小於
一。這次是猜對了：售價提升一倍，書的銷量仍然很不錯。

一錯一對，但我用的推斷方法完全一樣。價格彈性係數主
要是由替代物品的多或少及其價格決定的。有趣的是，無論怎
樣看，我認為周老師的書法影碟的替代物品，比我那兩本書還
要少。但我是猜錯了的。

這裡的含意是明顯的。任何人如果可以在事前準確地猜中
市場的需求彈性係數，凡猜必中，必富可敵國。就是猜得大略
地對也可賺很多的錢。地球沒有出現過這樣的人，可見彈性係
數是不能未卜先知的。

第十節：需求第二定律不能成立

因為有價格彈性這回事，而我們不能預先知道這彈性係數的大略，阿爾欽（Alchian）與施蒂格勒（Stigler）分別發明了需求第二定律（the second law of demand），其目的是要讓我們有一個關於價格彈性的規律，可以增加一點解釋行為的功能。

這第二定律說：彈性係數的大小與時間是正相關的。那是說，若某物品減了價或加了價，價變之後時間愈長，彈性係數愈高。其邏輯是這樣的。一種物品的價格彈性，除了該物品本身的性質外，主要是由其他替代物品的多或少及它們的價格決定的。替代物品愈多，愈相近，價愈低，該物品的價格彈性係數會愈高。阿爾欽與施蒂格勒認為，找尋替代物品來替換是需要時間的。時間愈長，替換的機會愈大，所以該物品的價格彈性係數是與時間正相關的。

先考慮某物品的價格上升吧。價格上升，需求量會立刻減少，但過了一些時日，找到了一些替代物品替換，需求量會再多減一點。這樣，需求曲線有關的部分是會向左下移動的。

再考慮某物品的價格下降。價格下降，需求量會立刻增加，但過了一些時日，消費者會再減少其他替代物品的需求，或從整個市場的需求看，其他消費者會逐漸多購買這減了價的物品，局部或全部替代他們此前所購買的。這樣，需求曲線有關的部分是會向右上移動的。

邏輯不俗世事無情

上述的邏輯本來不俗，但無情的世界使需求第二定律不能成立，因為被事實推翻了。我細心觀察兩個在香港發生的現象，使我不能接受這第二定律。

其一是香港的計程車加價，加了不少次了。每次加價，顧客量初時明顯大幅下降，但過了幾個月就差不多回復到未加前的水平。其二是香港的海底隧道加價，之後的顧客量變動與計程車一樣，先減後回升。

得到我的提點，一位港大同事找到了香港好些年前隧道加價的用客數字，明確地顯示着用客量是先大跌然後慢慢回升。可惜這位同事捉到鹿不懂得脫角，處理失當，用大量的統計方程式，由電腦搞得一團糟，以致五六十頁的長文（起碼過長五倍）沒有學報願意刊登。

為什麼需求第二定律會被事實推翻呢？我的解釋是，阿爾欽與施蒂格勒想對了一半，忘記了一半。他們對的一半是，找尋替代物品需要時間。他們忘記了的是，替代物品有時眾所周知，不需要找尋。這樣，價格上升，消費者立刻轉用已知的替代物品，但用了一段時期，認為不稱意，就轉回舊物那方面去。

計程車加價，香港有誰不立刻知道哪幾種交通工具可以替代？這些替代交通工具是不需要找尋的。隧道加價，就算是只有一條隧道的當年，香港有誰不知道汽車渡海可以用渡輪的？先試用渡輪，不稱意，就回頭用隧道。這樣，需求第二定律就被推翻了。

科學就是這樣奇妙。約束行為的定律不需要多，很簡單的可能威力無窮。需求定律的本身威不可擋，我們不需要第二定律。

參考文獻

A. Marshall, *Principles of Economics*. Macmillan, 1890.

P. Wicksteed, *The Common Sense of Political Economy*. Macmillan, 1910.

J. Robinson, *The Economics of Imperfect Competition*. Macmillan, 1933.

M. Friedman, "The Marshallian Demand Curve," *Journal of Political Economy*, 1949.

G. J. Stigler, *The Theory of Price*. Macmillan, 1952.

A. A. Alchian and W. R. Allen, *University Economics*. Wadsworth Publishing Company, 1964.

我於是對學生說，在我指定的情況下，鈔票會在街上失了影蹤。物理學、化學不能解釋，生物學、心理學、社會學也不能解釋，但經濟學是可以解釋的。事實上，經濟學解釋鈔票失蹤與物理學解釋硬幣下墜的準確性完全一樣。物理學用萬有引力解釋硬幣下墜，經濟學以需求定律解釋鈔票失蹤。

第六章：小試牛刀

好些人認為經濟學不是一門精確的科學（not an exact science）。他們認為經濟學與物理學或化學等自然科學不同，對解釋現象往往模稜兩可，十發起碼三不中，與自然科學是不可以相提並論的。在課堂上面對學生這樣的質疑你會怎樣回應呢？

當年我在美國教本科生一年級時所舉的鈔票例子，據說今天美國的大學常採用。我把一枚硬幣緊握在手，把手放開，硬幣向下墜，然後對學生說："上面沒有強力的磁石，有誰敢跟我打賭，我把手放開硬幣會向下墜。"沒有學生回應。"十賭一有誰敢下注？"沒有回應。"一千賭一怎樣？"沒有回應。"一萬賭一呢？"也沒有回應。

我收回硬幣，從錢包裡拿出一張百元鈔票，對學生說："如果我把這鈔票放在有行人的街上的當眼之處，沒有風，也沒有警察，這鈔票會不翼而飛。要不要跟我賭一手？"沒有回應。"一萬賭一怎樣？"也沒有回應。

我於是對學生說，在我指定的情況下，鈔票會在街上失了影蹤。物理學、化學不能解釋，生物學、心理學、社會學也不能解釋，但經濟學是可以解釋的。事實上，經濟學解釋鈔票失蹤與物理學解釋硬幣下墜的準確性完全一樣。物理學用萬有引力解釋硬幣下墜，經濟學以需求定律解釋鈔票失蹤。是的，沒有警察，行人不太多，拾取鈔票為己有的代價下降，這與指定在什麼情況下硬幣會下墜是一樣的。

如果不能指出有關的局限條件，我們對人的行為的解釋往往出現問題，但自然科學何嘗不是如此呢？科學的精確性從來不是指有多少個數字，而是觀察者的認同。你不敢跟我打賭就是認同了。在《功用的理念》那章內，我指出量度只不過是數字的排列與定名，而又談及不同的量度數字。

要在這裡以真實世界的例子示範一下需求定律的用場，我要先指出我們還沒有談到生產，沒有談到市場的不同結構，沒有談到公司的組織，產權的劃分，等等，所以需求定律的示範，在這裡只能小試牛刀，選一些比較簡單的實例。但先讓我否決一些書本上認為是推翻了需求定律的例子。

第一節：無知的含意

你在街上遇到一個不相識的人。他對你說："老友，我這裡有一粒兩克拉的鑽石，是真的，有證書，質量甚高，市價起碼三十萬元，現在我急於要錢，五千元賣給你如何？"他跟着把鑽石給你看，閃爍奪目。你當然不會買，因為你不相信這個街上的陌生人。就算那鑽石的確是真的，你也不會相信，因為你不懂得怎樣鑑辨。如果你是專家，看得出是真品，你可能因為該鑽石來歷不明而不買。你也可能像好些人一樣，看也懶得看，因為你認為市值三十萬元之物不會賣五千元。你是受到訊息費用的約束了。

同樣的鑽石，在一間裝飾華麗、大名鼎鼎的商店中，你可能樂意付價三十萬元。你的行為可沒有推翻了需求定律，只是訊息不同，你信商店而不信街上的陌生人。

差不多任何物品，要準確地判斷其質量不容易。我們往往要花很大的工夫才能成為一樣物品的鑒別專家。要成為多樣物品的專家你要付上整生的時間，而樣樣皆懂是不可能的事。年輕時我對照相機很有研究，對不同鏡頭的分色處理下過工夫。但今天買相機，因為科技變了，我要左問右問，請教朋友。

訊息費用影響需求

一般來說，無知，加上自己以往的經驗，同類之物，我們往往見到價格較高就會認為質量較好。這樣的判斷不一定對，但對的機會通常是高過錯的。你會像我一樣，認為市價較高質量應該較好，因為市場已作了鑑別。

在上述的情況下，我們有時見價高而買，見價低反而不買。尤其是那些價格低廉、無足輕重的物品，不值得我們花時間去作什麼研究的。舉個例，我很少用圓珠筆，但用時我選價格最低的、以透明塑膠造的那一種，因為喜歡見到內裡油墨的存量。一天我叫女秘書替我買一支最廉價的圓珠筆。她買回來了，說是港幣三元的。我說："不是這種呀，我要透明的那種。"她說："透明的只是一元多一支呀！"她顯然是認為價高一點質量較高，而我這個大教授靠筆為生，不會用最廉價的筆吧。

因為訊息不足而以價的高低來作質量的判斷，當然不違反需求定律。這個以價判質的行為不僅真實，而且重要。經濟學者很多時漠視這現象，是說不過去的。我自己對市場上討價還價的行為想了很多年，最後的解釋是從以價判質及資源空置入手。這現象在古董市場來得最明顯：價低就往往被認為是假的。本書卷三我會分析討價還價的行為，但這是牽涉到交易費用的局限了。在卷三第八章分析訊息費用奇高的收藏品時，我會指出花時間研究真假，是有回報的投資，雖然其回報率不一定高過利息率。

難解現象與局限處理

六七十年代時，美國的石油進口有配額（quota）管制。不知是否與此有關，汽車所用的汽油價格有一個怪現象，到今天我還找不到解釋。那就是汽油的零售價有周期性的升降，像鋸齒那樣整齊的。價升是一次過地升，大約升三分之一；價降是逐步下降，大約為時兩個星期。在這樣的情況下，不少顧客知道汽油價格變動的規律，見價一開始下降就儘可能不買，等其價多跌一點。

價的變動，可以引起這變動的方向會繼續的預期（expectation），因而影響了需求（整條需求曲線移動）。這也是沒有推翻需求定律的。

回頭說關於六七十年代美國汽油價格升降的鋸齒圖案現象，以天才知名的凱塞爾（R. Kessel，七五年謝世）曾經與我辯論了很久。他只同意我提出的一部分解釋，那就是如果政府容許汽車用戶以大容器在價低時儲存汽油（那是犯法的），鋸齒圖案不會存在。但這解釋不了為什麼這圖案會出現。（據說這鋸齒圖案在八十年代消失了。）

從上述的幾個例子可見，處理那所謂"其他因素不變"（ceteris paribus）可不是簡單的事。正相反，從處理"其他因素"的手法，我們往往可以看出一個經濟學者的斤兩。困難的所在，是我們不能隨意地以其他因素為藉口，來挽救一個被事實推翻了的理論含意。

在計量（統計）經濟學大行其道的今天，回歸分析（regression analysis）對其他因素的處理可以幫一點忙。問題是這種分析陷阱太多，不可靠！好些時用這種分析的人中了計也不知道。

最可靠的處理辦法，是想、想、想。我們要想出一些可以被事實驗證的含意，安全地避去"其他因素"的困擾。要做到這一點，我們想時要集中在驗證條件（test conditions）或局限條件（constraints）那方面去：這個條件應該放進去，那個條件應該抽出來，調來調去，務求得到一些驗證含意，被推翻了就是推翻了的。這些驗證條件或局限條件不能是空中樓閣，可以簡化，但必須與真實世界的情況大致吻合。

第二節：驗證的條件

其他因素（other things）、驗證條件（test conditions）與局限條件（constraints）這三者有相同之處，但在角度上有重要的差別。我們不妨以需求定律來解釋清楚。

一條向右下傾斜的需求曲線（向右下傾斜是定律）約束某物品的價與量的關係，二者皆是變量。其他因素是指這兩個變量之外的所有其他變量，有些我們讓其變，有些不讓其變。變與不變的選擇，我們在上一章分析過了。這裡要補充的，是好些其他變量與我們要分析的需求物品扯不上關係，這些無關的我們不要管。

"驗證條件"這一詞，在經濟學上很少用，是我從邏輯學中的科學方法論那裡借過來的。以需求定律而言，驗證條件是其他因素中的一小部分，是那些為了要創造一個可以被事實驗證的含意而指定的條件。我在第一章談及，一個驗證含意（implication），或一個假説（hypothesis），若不被事實推翻，就算是解釋了事實，也算是推測了事實的發生。但這推測是要有條件的：依照需求定律，以邏輯推出來的假說，在某種情況下，甲的出現會導致乙的出現。這裡所說的情況，就是驗證條件了。

從驗證角度看局限是上佳法門

雖然"驗證條件"這一詞在經濟學上很少用——經濟學者喜歡說"其他因素"或"局限條件"——但我是喜歡用的。衡量理論的含意，三者的角度不同，而我認為驗證條件的角度看得最清楚。

在科學驗證中有一種叫作關鍵驗證（critical test）。要解釋事實或行為，我們可以有多個不同的假說。如果在你面前有兩個不同的假說，你可以先驗證一個，然後再驗證另一個。但你也可以想呀想，想出一個或幾個驗證條件，指定了之後，在邏輯上，事實或現象只可以支持兩個假說的其中一個。這是說，指定的驗證條件如果選得高明，驗證可以有如下的結果：一個假說是對另一個假說必定是錯。這就是關鍵驗證，是科學驗證上最精彩、最令人折服的。調查局限條件來解釋人的行為，若從驗證條件的角度看，推出關鍵驗證可事半功倍。在第四節我會以例子作示範。

"局限條件"是指約束行為的所有條件，是經濟學最常用的了。以需求定律而言，局限條件不僅包括其他的有關因素，包括驗證條件，也包括價格。從驗證一個假說或含意那方面看，局限條件的角度不及驗證條件的角度來得尖銳，但若要把問題放大一點看，局限條件的角度就比較優勝了。阿爾欽（Alchian）喜歡從產權的局限入手，深深地影響了我；他認為產權的局限與競爭的局限是同一回事，使我茅塞頓開。科斯（Coase）的本領，是把所有局限條件歸納在成本之內。

困難可分類處理

整個經濟學的原理或定理其實不多，不可或缺的只是需求定律。如果你有明師指導，你會知道這些原理簡單，可以把重點拿得準。問題是運用起來，以這些原理解釋世事，其困難程度會大幅上升。大致上，困難是有三方面的。此前我說過了，這裡要有系統地再說一次。

（一）世界的局限條件──約束每個人爭取最大利益的局限──非常複雜。局限是真實世界的事，不可以隨意假設。我們需要簡化，但簡化後的局限條件必須與真實世界的大致吻合。另一方面，局限條件數之不盡，與一個現象有關或無關的要分清楚──此分也，不可以亂來，而是要受到理論的約束。

一個例子可以說明審查有關局限的困難。在經濟學推理上，政府要資助教育，學券制是可取的辦法。不少人認為香港要推行學券制。然而，大家認為，推行學券制的機會甚微。那是為什麼？說是壓力團體反對當然是對的，但在什麼局限條件下他們的反對會有這樣的力量呢？可以肯定的，是如果要解釋為什麼學券制在香港不被採用，一條需求曲線，加上局限條件，就足夠了。需求曲線淺，局限條件深，是以為難。

（二）驗證含意──甲的發生會導致乙的發生──這裡的甲與乙，又或加上丙、丁等的有關變量，必須可以在真實世界中觀察到。需求定律中的需求量是一個意圖的變量，並非事實。那是說，需求定律的本身是不可以驗證的。我們要以需求定律，加上局限條件的變化，從邏輯推出可以被事實驗證的含意。那是說，我們必須推出一些含意，在邏輯上避去了抽象的需求量的困擾。要做到這一點，驗證條件的指定就要講功夫了。

（三）其他因素（變量）的變或不變的選擇我們談過了。
如果你假設某些其他變量不變，你怎可以知道它們在實際上真
的不變？你可以作大量的調查，然後用統計學控制變與不變。
但你也可以想呀想，想出一些驗證條件，證實這些條件的存在
後，其他因素或變量我們不需要知道。這樣做，也要講一點功
夫。

第三節：不管成交量的含意

真實世界沒有需求量，只有生產量或成交量。因為需求量
看不到，以需求定律來解釋世事就多了一重困難。數之不盡的
經濟學研究，其作者根本不知道需求量只是一個概念，洋洋大
觀的方程式令人尷尬。專家如是，準專家更如是。

以亞洲人熟知的股票市場為例吧。圖表派（我稱之為風水
派）常用股市成交量的升降來推測股市的走勢，其準確性與風
水先生的水晶球差不多。然而，此派盛行了那麼多年，像風水
那樣，信者大不乏人。原則上，股市完全沒有成交股價也可以
大升或大跌。

隨意觀察定律靈光

無論怎樣說，需求定律是經濟學的靈魂，而這靈魂的重點
是要懂得怎樣處理需求量這個抽象概念。抽象或非事實的概念
其他科學也常見。以需求定律解釋行為，我們要不是能以邏輯
把需求量與成交量掛鈎，就是不管成交量，單以需求量轉變的
含意來闡釋現象。先從這後者舉幾個例子示範，因為比較淺。

上一章分析消費者的盈餘時，我們提到榨取這盈餘的一種
辦法，是收會員費。會所收此費後，裡面供應的食品價格比外
間低廉。這是需求曲線向右下傾斜的含意。若收了可觀的會員

費，所內的食品價格反而提升，需求定律就被推翻了。

又例如，本章開始時提出的百元鈔票在街上不翼而飛，我指出警察或公安人員愈少，鈔票失蹤的機會愈大。要是有兩位警察站在鈔票之旁，行人反而蜂擁地去搶拾鈔票，需求定律就被否決了。

我們從來沒有見過街上的商店用大紅紙寫着："加價大傾銷！"沒有見過討價還價時大打出手，因為顧客堅持多付錢而賣家揮拳相向。沒有見過排隊輪購是因為價格太高。沒有見過手錶的保證書上寫明："三個月之內必定不靈！"沒有見過女人求偶時把自己的臉塗上黑色……這些都是需求定律的含意。

可以這樣說吧：所有人類的行為，都是受到需求定律的約束的。且讓我們轉到深入一點的現象去：以指定驗證條件的辦法來使需求量與成交量掛鈎。

第四節：單質的需求驗證

"單質"是指一種物品只有一種質量。金是金，銀是銀；一兩金是一兩金，一兩銀是一兩銀（當然，我們是以純金或純銀算）。這與第五章所說的鑽石例子是不同的。鑽石多質，但因為幾種質都被量度了，各有各的價，就變為多量。一粒鑽石的成交價，是幾種量與價的組合。我們若說多質而不說多量，是因為好些物品的多質沒有被量度，沒有每質分別定價。那所謂質（或稱質量——quality），只不過是沒有直接定價的其他量罷了。

我要先以一個單質的物品為例，來示範需求定律比較深入的用途：怎樣指定驗證條件而使需求量與成交量掛鈎。我選的例子是影印紙張，一張一張地算價。當然，影印也可以有好些不同的"質"，但我們假設這些其他質不存在，或不重要。

影印行為的示範

我舉的例子，是世界上好些大學的教授可以申請而獲得一些研究金。這研究金不是交給教授，讓他為所欲為，而是由大學掌管。指明是某教授才可以用，但也指明是只能用於研究的——教授不能用研究金請情婦花天酒地一番。什麼是研究用途說得分明，而影印是其中容許的一項。

現在假設一位教授在大學裡影印，每張二毫，自己出錢是二毫一張，用由大學替他掌管的研究金也是二毫一張，後者由校方從研究金中扣取。再假設這教授有兩個不同的選擇，二者只能得其一。其一是校方一次過地給他加薪十萬元，可用作影印，也可以花天酒地。其二是給他研究金十萬，由校方掌管作研究用途，可以影印，但不可以花天酒地。在如上的兩個指定的不同局限下，你說哪項際遇這教授的影印數量比較多呢？同樣是二毫影印一張，加薪十萬或研究金十萬，哪方面的影印數量提升比較多？答案當然是研究金那項影印比較多。這答案的肯定性是與硬幣會下墜一樣的。

要解釋為什麼一個教授獲得研究金的影印量增加，肯定會比同樣數目的加薪為甚，我們可以有數之不盡的假說。我以需求定律推出來的假說是：可以花天酒地的加薪，一毫值一毫，但只限於某些研究項目的研究金，一毫之所值肯定低於加薪的一毫。如果這後者一毫只值前者的六仙，那麼同樣是二毫影印一張，加薪之價是二毫，研究金之價是十二仙。價格下降，需求量就增加了。

局限（驗證）條件的指定重要

在這例子中我們可以看到四個重點。一、從加薪轉到研究金是局限轉變，而這也是驗證條件的轉變了。只要我們能適當地選用驗證條件，解釋世事就如有神助。二、驗證條件用得好，需求量與成交量在邏輯上的動向相同，所以這二者算是掛了鈎。上述的例子，意圖的需求量與事實的成交量的增減動向是相同的。這解決了需求量不是真有其物的困難。三、我不管你發明任何其他假說，但在我指定的驗證條件下，我的假說會被驗證為對而你的可能錯。如果你的被推翻了，那麼同一驗證一對一錯，就成為關鍵驗證（critical test）。這顯然是要靠驗證條件選擇得好才可以達到的。四、那所謂其他因素的變或不變，在上述的假說中可以置之不理。只要驗證條件選得好，能使這條件之變成為重要的邊際轉變，其他因素就變得無關宏旨了。

第五節：多質的需求驗證

不是所有好的需求假說都是我發明的（一笑）。老師阿爾欽發明了一個，精彩而重要，但可惜棋差一着，錯了半步，使某些人認為阿師全盤錯了。我在這裡把阿師的假說略加修改，作點補充，然後一般化地表演一下。

四十多年前，阿師見出產於美國加州的橙（又稱金山橙）中，質量最高的牌子是新奇士（Sunkist），而新奇士的橙大都運到外地去，在加州本土反而少見。為什麼優質的產品運到外地，而留在產地的反而較差呢？阿師的假說發表後，兩個芝加哥大學的教授不同意，為文反對。我的一個學生（J. Umbeck）加入筆戰，橙就變作蘋果。今天行內的老生常談，是蘋果而不是橙了。

阿爾欽的妙着被證為錯

美國華盛頓州是盛產蘋果之地，品種數以十計，其中紅蘋果（稱 Red Delicious）的品質最受歡迎，市價也最高。然而，明顯的觀察所得，上佳的紅蘋果大都出口，遠渡重洋，華盛頓州的本地人多吃較差的或其他品種。是的，今天在香港及內地，市場所見的美國蘋果，差不多全部是紅蘋果，華盛頓州出產的其他品種在亞洲見不到。

阿爾欽的解釋，是假設在美國頂級的蘋果每個賣二毫，次級每個賣一毫，其相對價格是二比一。如果把蘋果運到香港來，每個加運費一毫，到了香港頂級的是三毫，次級的是二毫，其相對價格是三比二。在美國本土，二除以一是二；到了香港，三除以二是一點五。一點五低於二。結論是，蘋果運到香港後，雖然頂級與次級的市價都比美國為高，但以相對價格而言，頂級的在香港比較便宜（一點五低於二），所以是紅蘋果而不是其他的就運到香港來了。不要忘記，經濟學説的價永遠是相對的，relative price 是也。

阿師這個假説解釋本來十分精彩，但芝大的兩位仁兄（J. Gould 與 J. Segall）一九六九年發表文章，以等優曲線的功用分析，證明阿師的分析錯了。引起爭議的原因，是加州的橙與華盛頓州的蘋果，出口的都是上品，這觀察不可能錯；另一方面，芝大二兄的等優曲線的分析反證，白紙黑字，邏輯井然，也看不出錯處。他們錯了的是舉出的反證實例：龍蝦在波士頓原產地最可口，蔬菜在農村原產地比城市的好吃。這兩個反證例子不能成立，因為龍蝦與蔬菜都是以新鮮為上。波士頓的龍蝦運到香港來，其肉會縮減三分之一。

以質算量問題清楚

我今天認為阿師的分析沒有錯，只是看錯了角度；我認為芝大二兄的分析是錯了，因為他們的分析圖表的縱軸與橫軸用錯了“量”。他們三個人都忽略了的，是頂級與次級的分析必定要從多質物品的角度入手。以蘋果的隻數為量入手，不言自明地假設其他重要的質量（如糖分）不同，分析很容易弄錯。蘋果的糖分本身雖然沒有直接地定價，但糖分的高低對價有決定性。如果我們間接地把糖分的價算出來，問題就變得清楚了。

（我自己當年為這個問題想了很久，若干年後才想出“有質”量與“委託”量這個分別，才知道蘋果的隻量是“有質”與“委託”的合併。把糖分委託於隻量，問題就清楚了。此前我沒有發表過委託量這個概念，今可見於本卷第五章第七節。）

無論一個蘋果的糖分是多是少，運費都是一樣，因此運到香港來糖分的每個單位的間接之價，必定是糖分愈高愈相宜的。解釋香港人要吃上佳的華盛頓州紅蘋果，阿爾欽加運費這個驗證條件加得妙，但以美國的頂級與次級相對價格與香港的相對價格相比，是看錯了角度。正確的角度，是因為有了固定的運費，糖分及其他質量上升時，這些質的間接之價在香港跌得很快。我們在香港選吃上佳的蘋果或金山橙，是受到需求定律的約束了。

讓我說清楚一點。假若蘋果的糖分單位被量度定價了，而在華盛頓州這價是不變的話（例如一個單位是五仙，兩個單位是十仙，三個是十五仙），加上一個固定的運費，（例如每個蘋果運費十仙），那麼糖分單位增加，每單位之價會下降，這導致糖分單位增加蘋果的相對價格一定會下降。我們要從蘋果中的糖分或其他質量看。換言之，芝大的兩位仁兄的等優曲線分析，是用單質的物品從事，錯了，要以多質處理才對。這是說，他們不應該看蘋果優劣之價，而是要看糖分單位之價。阿師當年的看法其實沒有錯，但沒有把糖分單位分開來看，看不清楚。

"愛"也遵守需求定律

一位母親要給外地的兒子郵寄寒衣，如果運費是以每箱計，不計重量，箱子的大小有限定，那麼母親一定會儘量把箱子裝得滿滿的。母親的愛，也要遵守需求定律。

朋友，想想吧。要是你穿上西裝，帶着新相識的女朋友，隆重其事地到一家高級餐廳去吃晚餐，你不會選吃漢堡包。事實上，老闆明知你不會選吃漢堡包，他的高級餐廳沒有漢堡包供應。這是需求定律的含意了。

買了一幅高級的住宅用地，風景如畫，你不會建一所簡陋的房子在那裡。要是你發了神經，以簡陋為貴，建造了那樣的房子，你的建造費用一定血本無歸：建好後把房子賣出，你的所得充其量只是地價而已。上佳的住宅用地，建造的房子必定是較佳的。這也是需求定律的含意。

一個時間寶貴的人，千方百計地抽空去聽音樂演奏，不會選購廉價座位。坐飛機去巴黎度假，到那裡的餐廳吃晚餐，叫的紅酒會比同一個人長居於巴黎的為貴。一個自己出錢請補習老師的學生，上補習課的出現機會，會比這學生進了免費大學，上免費課的出現機會為高。如此種種，都是需求定律約束着的行為，蘋果與橙之類也。

第六節：成衣配額的分析示範

　　說過了，因為還沒有談到生產、市場結構等話題，需求定律的解釋威力示範這裡只能小試牛刀，不能大展拳腳。但二〇〇三年十一月二十六日我發表的題為《配額：前車可不鑑乎？》的文章，是很好的需求定律的威力示範，同學們不用讀到卷二也可以讀得懂，而在該文的後部我引進壟斷租值是妙着，同學們也可以讀得懂。茲將該文以楷體刊載如下，好叫同學們能體會到需求定律的解釋威力：

　　中國兩年前簽訂世貿協議後，紡織成衣產品進入美國的配額按步取締，其中一些取消了配額。後者中有三種產品因為取消了配額而導致美國進口急升。美國決定把配額於明年初放回去。中國反對，說美國違反了世貿協議，美國則認為沒有違反，吵了起來。公有公理，婆有婆理，我不懂，但誰對誰錯不是這裡要探討的話題。

　　經濟學者是屢有分析配額的效果的。他們一般是按照課本的方法，把幾條曲線移來移去，看着法例加上一點變化，然後以些什麼回歸分析計量一下。這種分析不是錯，而是因為過於着重方程式與進出口數字，忽略了我認為是製造品配額最重要的含意，也即是說漠視了最重要的內容。讓我說說吧。

身在美國看得分明

　　二十世紀七十年代，香港成為世界第一成衣（紡織品）出口"國"。你道為什麼？是因為六十年代中期，美國及其他先進之邦，以配額約束香港紡織品的進口數量！

　　那些年頭我在美國，親眼看得分明。六十年代，香港的紡織品只在低檔的百貨商場的地庫（basement）出售，品質奇

劣，價格相宜，見不得光，與數之不盡的落後國家的產品排排
坐。配額約束實施後，香港成衣的質量急升，幾年之間由地庫
升到最高檔次的那一層，而價格也大幅提升了。不少美國的高
檔牌子慘遭淘汰，或節節敗退。是的，七十年代後期，香港富
有的太太小姐們，坐飛機到美國的高檔商場購買衣服，買回來
的都是香港貨。

有什麼奇怪了？四十年前美國某些州份把香煙稅改為以每
包算，香煙立刻加長。若干年前西雅圖某區政府委任的收垃圾
公司發了神經，垃圾按每箱收費。該區的垃圾箱立刻加大，塞
得滿滿的，父母叫孩子在箱中的垃圾上跳，結果是垃圾箱重得
拿不起來！

還是需求定律使然

配額是值錢之物。一件成衣要一個配額才可出口，製造商
怎會不增加其質量呢？這正如香港進口的美國蘋果與金山橙，
因為高檔的與低檔的要加上同樣的運費，進口商當然選高檔的
了。如果我瞞着老婆，偷偷地帶一個打扮得珠光寶氣的美人到
雅谷進晚膳，我不會那樣傻，問侍應有沒有漢堡包。

經濟理論的解釋當然還是那條需求定律。香港中六學生懂
得的答案，是雖然加上運費後，優質蘋果與劣質蘋果的價格一
起提升了，但從相對價格那方面看，優質蘋果的價格是下降了
的。需求定律的價格，永遠是相對價格。同樣，提升成衣質
量，其價格是上升了，但優質與劣質同樣加上一個配額之所
值，優質成衣的相對價格下降，所以出口的質量提升。

這分析，中六學生說得出有一百分，但到了博士後只得
六十，強可及格，因為只是大略地對。較為正確的分析比較深
入，要把"量"來一個頗為複雜的闡釋。拙作《科學說需求》

的第六章第五節處理了這個問題。

　　為什麼被配額約束了數量，香港當年會成為天下第一紡織成衣出口"國"呢？答案是兩個理由的合併。其一是優質使價格上升，而出口總值以價算。其二是優質的成衣遠為耐用，減少了他國的出口量。

配額自由轉讓佔了先機

　　另一個問題來了。當年亞洲的國家或地區都受到同樣的配額管制，為什麼主要是香港跑了出來呢？答案還是需求定律：整個亞洲只有香港容許配額在市場自由買賣。這自由轉讓不僅使配額落於善用或適用者的手上，也使配額的價值上升，而這使香港的優質成衣的相對價格下降得更多了。聽說內地的紡織品配額也有在市場轉讓的，但因為法律不容許，市場就發明了一些偷龍轉鳳的轉讓方法。這增加了交易費用，然而，一般的觀察是內地的配額轉讓盛行，對產品質量的影響應該與香港昔日的相若。

　　任何製造品都有多個層面的檔次。在國際自由貿易的市場中，不同之區會按他們的比較優勢成本來選擇各適其適的品質檔次產出，選錯了的製造商會被市場淘汰。不是說在配額引進之前，香港的製造商沒有能力產出質優、檔次高的成衣，而是在國際自由競爭下，他們認為投資於高檔次的產品，其成本鬥不過先進之邦。

配額租值容許成本上升

　　配額的引進，是把自由市場的質量檔次排列更改了。怎麼可能呢？配額之前香港的成衣製造商認為走高檔的成本過高，走不過，難道配額之後走高檔的成本下降了嗎？不是的。答案是：配額引進之後，成衣製造商之間的競爭受到約束，使配額的每個受配者在某程度上擁有一點壟斷權，配額之價代表着壟斷租值，而這租值的存在容許持有配額的競爭者提升成本，因而容許成衣質量的大幅提升。在持有配額者的競爭下，均衡點是質量提升的成本增加在邊際上與配額的租值相等。成衣質量的大幅提升於是可分兩部分看：其一是需求定律強迫質量上升的選擇；其二是配額租值給予成本上升的空間。這是經濟學。

是愚蠢得不容易想像的保護主義。當年美國與其他先進之邦，為了保護自己的紡織成衣商，把落後而質劣的香港紡織品加上配額限制。然而，到頭來，落後的香港成衣商，因為配額保護着他們，給他們有可觀的配額租值，讓他們有成本空間大展拳腳，提升產品質量，把先進的配額倡導者殺下馬來。這叫做搬起石頭砸自己的腳。

這些年來中國內地的紡織成衣，有眾多港商的參與，質量廣及多個檔次，其中不乏高檔的。入世之後，面對配額的瓦解，製造成衣的競爭急升。在這樣的情況下，配額的重臨會使他們精益求精，可能把金縷衣造出來。城門失火，殃及池魚，歐洲的什麼名牌將會有難矣！

參考文獻

A. A. Alchian and W. R. Allen, *University Economics*. Wadsworth Publishing Company, 1964.

J. P. Gould and J. Segall, "The Substitution Effects of Transportation Costs," *Journal of Political Economy*, 1969.

S. N. S. Cheung, "A Theory of Price Control," *Journal of Law & Economics*, 1974.

S. N. S. Cheung, "Why Are Better Seats 'Underpriced'?" *Economic Inquiry*, 1977.

T. E. Borcherding and E. Silberberg, "Shipping the Good Apples Out: The Alchian and Allen Theorem Reconsidered," *Journal of Political Economy*, 1978.

J. Umbeck, "Shipping the Good Apples Out: Some Ambiguities in the Interpretation of 'Fixed Charge'," *Journal of Political Economy*, 1980.

百多年來，經濟學者往往誤解了物品市價的釐定。市價的釐定，絕對不是因為市場需求曲線與市場供應曲線相交。正相反，這市場二線相交，是因為數之不盡的需求者與供應者各自為戰，那一大群自私自利的人，不約而同地爭取自己的邊際用值與市價相等，從而促成市場需求曲線與市場供應曲線相交之價。

第七章：交易理論與市場需求

只因為世界多過一個人，經濟解釋的困難上升何止百倍！

要解決人與人之間的競爭，我們的社會發明了制度。制度有多種，市場是其中之一，是經濟學最常談及而篇幅又是最大的。從今天新制度經濟學（new institutional economics）的角度看，傳統是過於重視市場這個制度了。好些非市場的制度也普及，很有趣味，但在新制度經濟學興起之前不受重視。六十年代興起的新制度經濟學是我和幾位師友搞起來的，可惜過了不久就誤入歧途，跟着弄得一團糟。在本書的卷四與卷五我會大手清理門戶。

第一節：交易是上下交征利

提起交易，我想到經濟學鼻祖斯密一七七六年發表的《國富論》其中的兩段至理名言。這兩段話我在本書的第二章第一節翻譯了出來，同學們要讀後再讀，細心揣摩和思考。

是的，以交易而交征利，與沒有交易相比，前者的利益增加大得驚人。這龐大的利益增加，主要是由於每個人專業生產，然後交易。不談生產而單論交易，利益還是有的，但比起有專業生產的存在，其交易的利益少很多，近於微不足道。我們還沒有分析生產的問題，還沒有介紹成本的概念，所以這裡分析的交易，是沒有生產的交易理論。我們要到本書卷二才把專業生產加入交易來分析。

邊際用值相同是均衡要點

沒有生產的交易，大家有利可圖，主要是因為大家對物品的邊際用值（marginal use value）不同。舉個例：一個蘋果，甲的邊際用值是八毫，乙的邊際用值是一元三毫，如果蘋果在甲的手上，在八毫以上他會賣出，而乙則在一元三毫之下願意買入。假若雙方以一元（換值，exchange value）成交，甲的盈利是二毫，乙的盈利是三毫——後者是乙的消費者盈餘了。以一元成交，大家的邊際用值都是一元。這是市場均衡的情況。如果邊際用值不同他們會再議價。邊際用值相同而又等於一元市價，就再沒有議價的空間了。那是說，市價（換值）一元，甲乙雙方的邊際用值也是一元，就成為每個消費者的邊際用值與市價相等。這就是大名鼎鼎的市場均衡（market equilibrium），也達到了那重要的帕累托條件（Pareto condition）。帕累托條件在本書內將會分幾次逐步闡釋。

上文以一個蘋果為例，對 "邊際" 的處理不夠清楚。且讓我把蘋果的數量加大，重複以上的分析，好叫讀者能看得明白，從而帶到其他比較重要的小節上去。

假如整個市場只有甲、乙二人，蘋果的總供應量只有六個。如下是甲與乙的需求曲線：

蘋果數量 ：	1	2	3	4	5	6
甲的邊際用值：	$1.00	$0.90	$0.80	$0.70	$0.60	$0.50
乙的邊際用值：	$2.00	$1.60	$1.20	$0.80	$0.40	$0.00

因為每個需求者賺取最大私利要讓自己的邊際用值與價格看齊，需求定律可以看為邊際用值與需求量的負相關——負者，一降一升也。上述的數字是我隨意放進去的，除了量愈大

邊際用值愈低的規律，沒有其他刻意的安排。

現在假設六個蘋果皆為甲所有，他的邊際（第六個）用值是 $0.50；乙沒有蘋果，他第一個的邊際用值是 $2.00。這樣，高於 $0.50，甲願意出售；低於 $2.00，乙願意購買。甲出售蘋果，其邊際用值上升；乙購入，其邊際用值下降。大家邊際用值相等之點，是 $0.80。

這是甲出售四個——6，5，4，3；乙購買四個——1，2，3，4。在有競爭的情況下（為了簡化，其他的買或賣的競爭者只是在旁觀望，見有利可圖才加入），成交價是 $0.80，這等於甲與乙的邊際用值了。

交征利的結果，甲所獲的總利是 $0.60：（$0.80－$0.50）+（$0.80－$0.60）+（$0.80－$0.70）。乙所獲的總利是 $2.40，他的消費者盈餘：（$2.00－$0.80）+（$1.60－$0.80）+（$1.20－$0.80）。在成交價（市價，即換值）$0.80 的均衡交易中，乙購買四個，甲留兩個為己用，需求總量是六個。

（上述的分析，同學們可以在本卷第九章的幾何圖表中看得更清楚。）

六個要點順理成章

在以上的簡單例子中，我們可以看到幾個比較重要的含義。

（一）購買量永遠等於出售量等於成交量。上述的例子，此三量都是四個。但 $0.80 之價，總需求量是甲二乙四，共六個。總供應量也是六個（原來的六個，成交前皆為甲所有）。在均衡的情況下，需求量（六個）與供應量（六個）相同，但成交量（四個）與需求量或供應量是不同的。完全沒有成交，需求量或供應量都可以很大。

（二）不談生產，市場的每一個人都是需求者與供應者兼於一身的。無論我擁有什麼，價低我需求，價高我供應。例如，我收藏壽山石成癖。價夠低，我買入；價夠高，我可以全部賣給你。

（三）在均衡下，市價等於市場每個人的邊際用值（上述的例子是 $0.80）。若不等，在沒有交易費用（包括訊息費用）的情況下，買賣雙方有利可圖，這含意着市場的參與者會再議價，交易增加。要是有利可圖而不圖，就違反了帕累托條件。

帕累托（V. Pareto, 1848-1923）是個頂級的意大利經濟學者。他說：資源的使用及物品的交易可以達到一個情況或條件，滿足了這條件，我們不可能改變資源的使用，使一個人得益而沒有其他人受損。換言之，要是這條件不達到，我們總可以改變資源的使用或市場的交易，使起碼有一個人得益而沒有其他人受損——這也等於可使整個社會的人得益。這是最基本的帕累托條件的說法。自交易費用（transaction costs）的分析興起後，這情況變得博大湛深。這是後話，按下不表。帕累托情況一般被稱為帕累托至善點（或最優點）。我認為"至善點"（optimality）一詞有主觀的好不好成分，以"條件"（condition）代之才合乎科學態度。

（四）從以上的簡單例子可見，甲與乙是競爭着多要蘋果。市場是一個解決辦法：價高者得。任何人對任何物品的邊際用值高於市價，會多購買；低於市價，會出售。得者為勝，棄者為負，而勝負雙方皆有利。價於是成為一個決定誰勝誰負的準則。阿爾欽說：價格決定什麼比什麼決定價格重要。此乃大師之見也。

（五）上述例子也可見，兩個競爭者的需求曲線都是向右下傾斜的。若其中一人的需求曲線是向右上升，把蘋果作為吉芬物品，違反了需求定律，那麼交易就不可能成事。這是因為曲線向右上升的那位仁兄，老早就將所有蘋果佔為己有，不會出售。原則上，一個人的需求曲線可以某部分向右上升，另一部分向右下傾斜。然而，凡有交易，必定是在向右下傾斜的那部分發生。所以我在前文兩次提及，凡有競爭，吉芬物品不存在。

（六）如果有交易費用的存在，上述的市價等於每個需求者的邊際用值的均衡情況不一定可以達到。又如果交易的一方持有物品的專利權，或有壟斷權，市價的釐定不會像上述例子那樣簡單。這些都是後話。

上述的分析牽涉到一個多年前我發明的幾何圖表。這圖表簡而明，非常重要，今天被西方好些大學作為教材。今天我是把這圖表再改進了，加進了精彩的闡釋，放進本卷第九章與卷五的第五章。事實上，整本《經濟解釋》有不少重複的地方，因為同學們老是要求我重複再說，但我在再說時是略轉角度與內容的。

第二節：市場需求否決剪刀分析

市場需求（market demand）與個人需求（individual demand）不一樣，前者是眾多的後者加起來而成的。一種物品的市場可能由數之不盡的個別需求者組合而成，而市場的供應也往往是數之不盡的個別供應者的組合。

物品有私用品（private goods）與共用品（public goods）之分。前者的分析普及，後者的分析比較少見。我們這裡先談前者，後者要到第八章才討論。

所謂私用品，是一個人享用某量其他的人就不能享用該量了，所以是獨用（exclusive use）性質的。蘋果是例子：你吃蘋果時，我不能吃同一個蘋果的全部。私用品不一定是私有；共用品不一定是公有或共有。二者的分別只是享用的性質，與產權或制度扯不上關係。

私用品的市場需求曲線，是個別需求者的不同需求曲線向右橫加而成的：每價加個別需求者的需求量。市場需求曲線於是代表着所有需求者的邊際用值與總需求量的關係，這曲線當然也是向右下傾斜的。

市場集中處理訊息不易被超越

讓我們假設有龐大的不需要生產的某物品的供應，例如海灘上的貝殼賣得起錢，需求的人數之不盡。在市場上，每個需求者見貝殼之價低於自己的邊際用值，就會多購入，見高於自己的邊際用值，就會出售一些。每個需求者的買或賣，其量可能微不足道，不能明顯地影響市價，但他的買賣行動會對市價有輕微的影響。

好些時，一個人會認為自己對某物品有獨得之秘，可以靜靜地在市場圖利。然而，無論這個人怎樣守口如瓶，只要他在市場交易，他的意圖訊息就傳了出去，表達在市價上。市價於是成為訊息的接收中心，其升或降無可避免地反映着所有需求者的意圖或喜惡訊息。

當然，有時市場的需求者被訊息誤導，引起市價的大升大跌，使某些人發達，某些人破產。有時一些人認為自己的獨得之秘萬無一失，大購或大售，以為有巨利可圖，但這些人的破產機會一般比發達的機會為高。這是因為市場的範圍不容易估計得準確。上世紀七十年代，兩個巨富的美國兄弟以為可以炒銀而更上一層樓，殊不知銀價暴升後，眾多的家庭主婦把家中祖傳的銀器拿出來賣掉，使這兩兄弟破產。

小孩子的玩意是好示範

撇開自以為是的炒家，每個需求的人都以市價與自己的邊際用值相比，然後購進或沽出。每個人這樣做，其結果是每個人的邊際用值皆與市價相等，而人與人之間對這物品的邊際用值也因而相等。換言之，如果不同需求者對某物品的邊際用值不相等，市場的均衡就達不到，而競爭購入或沽出的行為，會或大或小地影響市價，到後來每個需求者的邊際用值相等。當然這是假設交易費用不足以左右這選擇的情況。

記得童年時在香港的灣仔書院就讀，同學們喜歡玩"公仔紙"。是成年人購買香煙時附送的。公仔紙上的公仔往往不同，有些需求比較大，有些比較小。同學們依照自己的需求，大家在課餘時間交換公仔紙為樂。那是個完備的市場。有時兩張換一張，有時三張換兩張，有時同學拿出母親給予的零用錢購買，也有時少許零用錢加公仔紙成交。這些現象是說，小同學們按照市場的規律，看着不同公仔紙的交換比率（換值），來衡量自己對某公仔紙的邊際用值。交換的比率就是價。

我們若不管訊息或其他交易費用的存在，市場的均衡點是市價與每個需求者的邊際用值看齊，達到了帕累托條件。如果市價與任何需求者的邊際用值有差距，那麼為了增加個人利益，市場的交易會增加或減少，市價也會變動，從而使市價與每個人的邊際用值相等。數之不盡的需求者都因為爭取個人利益而這樣做，這些人的需求曲線加起來就成為一條市場對該物品的需求曲線了。

馬歇爾的剪刀失之千里

這市場需求曲線與該物品的市場供應曲線的相交點之價，是市價，又稱均衡市價，而每個需求者的邊際用值與之看齊。那是說，市場需求與市場供應相交之價，可不是受到馬歇爾（Marshall）所說的剪刀決定的。市價的決定，是因為數之不盡的需求者與供應者，各自爭取最高的交易利益，以自己的邊際用值與面對的價格相比，或購入，或沽出，而這些行動或使價格上升，或使價格下降。達到每個需求者的邊際用值與價格相等時，大家的邊際用值相等，而含意着的大家相等的價格就是市價。達到了這一點，市場的需求曲線剛好與市場的供應曲線相交（不談生產，市場的供應曲線是豎直的）。

百多年來，經濟學者往往誤解了物品市價的釐定。市價的釐定，絕對不是因為市場需求曲線與市場供應曲線相交。正相反，這市場二線相交，是因為數之不盡的需求者與供應者各自為戰，那一大群自私自利的人，不約而同地爭取自己的邊際用值與市價相等，從而促成市場需求曲線與市場供應曲線相交之價。

這個相反的角度甚為正確，也使我們知道馬歇爾提出來的，市場的需求與供應二線的剪刀，二刃相交而定價的說法出現了困難。這困難使我們無從處理邊際用值與市價不等而引起的好些重要現象。比方說，一九七四年我發表《價格管制理論》之前，經濟學從來沒有理論可以解釋因為價格管制而引起的多種行為。

短缺與過剩皆空中樓閣

　　先不談價格管制，假設價格莫名其妙地在市價之下，那麼依照傳統的剪刀觀點，市場的需求量就會大於市場的供應量。這二者的差距叫作短缺（shortage）。短缺與缺乏（scarcity）不同，前者是指需求量大於供應量，後者是指某物品的需求使代價或價格高於零。從剪刀的觀點看，市場需求量大於供應量，不均衡的情況出現，短缺的壓力會使價格上升，達到市價的均衡點而止。然而，壓力是些什麼？說是需求量大於供應量是說了等於沒說。

　　再者，需求量與供應量都是意圖之量，看不到，摸不着，所以那所謂短缺（shortage）是空中樓閣，在真實世界是不存在的。抽象之物，往往是理論起點必需的。但抽象增加了假說驗證的困難，可以不用當然不應該用。無端端地發明了抽象的"短缺"，充其量只可以增加經濟學的"深奧"，可沒有增加可以驗證的內容，何利之有？

　　倒轉過來，若價格莫名其妙地高於市價，傳統說過剩（surplus，這裡不能譯作盈餘）會出現。供應量大於需求量，也是不均衡，也是空中樓閣，但壓力又來了，使價格下降至市價而止。

泡沫理論潰不成軍

　　傳統上，經濟學者為了故扮高深，發明了穩定的均衡與不穩定的均衡（stable and unstable equilibrium），而後者可帶來爆炸（explosive）情況，天快要塌下來，泡沫經濟的理念不脛而走，甚至說若不用動態（dynamic）經濟的觀點，經濟學沒有用途。是象牙塔內的經濟學者發明這些玩意的。很有趣，但與世事無關。象牙塔者，不知世事之謂也。

　　我還是喜歡以簡單的分析來處理複雜的世事。價格若高於
或低於市價，市場需求者的邊際用值會低於或高於價格。這些
自私自利的人，為了要增加私利，就會沽出而使價格下降，或
會購入而使價格上升。市價於是因為人的自私而升降，也因為
人的自私而安定下來。讀到這裡同學們應該明白，為什麼我在
前文提及，需求定律是包括着"個人爭取利益極大化"這個假
設或公理。有了需求定律，用得恰當，我們可以不顧局限下爭
取極大化的分析，省卻不少麻煩。重點是我們不僅要掌握需求
定律，更困難是懂得怎樣把局限的轉變化為價格或代價的轉
變。這是經濟解釋的重心所在。

短缺概念源於思想短缺

　　回頭說價格管制，單論通常所見到價格被管制在市價之
下，就足以示範傳統的剪刀分析毫無理論可言。價格被管制在
市價之下，莫名其妙的"短缺"出現，不均衡，世界大亂矣！
問題是人與人之間對任何物品的競爭，必定要解決。說不均
衡，是說沒有解決的辦法。不均衡的意思，是指沒有可以被事
實驗證的假說。什麼壓力云云，不可以壓出一些假說來。

　　正確的分析，是如果價格被管制在市價之下，需求的一群
見到自己的邊際用值高於價格，競爭搶購不獲，逼着要付出金
錢價格之外的其他代價來作補充而爭取。這些其他的補充準則
可能是排隊輪購，可能是論資排輩、武力解決、政治手法、人
際關係等等。只要知道哪一種補充金錢價格的準則會被採用，
或哪幾種準則的合併會被採用，我們就知道這些補充準則的代
價，加上金錢之價，會等於邊際用值。我們於是會有另一種均
衡，不會有短缺，而競爭就會被解決了。"短缺"是因為經濟學
者的思想有所短缺而產生的。

　　價格管制的分析困難，不是因為不均衡，而是我們不知道哪一種金錢之外的準則會被採用。一旦知道，均衡分析易如反掌。我在一九七四年發表的《價格管制理論》，是讓我們能有系統地推出哪一種其他準則會被採用。這是後話。

第三節：交易的局限條件

　　分析需求問題時，我們屢次談及局限條件。但需求的局限條件與交易的局限條件是不同的。提到交易，我們不妨先向魯濱遜的一人世界那方面想。魯濱遜有需求，有局限，但不可能有交易。交易的局限條件只能在社會存在。

　　從權利界定的角度看，一人世界不會有產權（property rights），後者是為社會而設的一種局限。從費用或成本那方面看，一人世界不會有交易費用（transaction costs），所以這種費用也是因為有社會而存在的。社會的定義，是多過一個人。本卷過後我會給交易費用多加一個廣泛的定義，稱為社會費用（institution costs），是指凡有社會才會有的所有費用，而在社會中，沒有市場交易也會有這種一人世界沒有的費用。也是在本卷過後，我會解釋社會費用（包括市場成交的費用），可以看為約束人與人之間的競爭的費用。這些理念，是源於我跟進中國的發展三十年才得到的。是後話。

跟當年的師友分道揚鑣

　　產權與交易費用之間的關係，及這些局限條件對體制的形成與人的行為的影響，是新制度經濟學的範疇。時來風送滕王閣，我適逢其會，做研究生時就參與其事，屈指一算，在這方面我不停地想已有半個世紀了。不幸的是，三十多年來，我在這門學問選走的路，與當年的師友有了分歧。他們有些轉向博

弈理論發展，有些在近於博弈的卸責、恐嚇、機會主義等無從
觀察驗證的角度入手。其實"卸責"由我一九六九年首先提
出，但我很快就意識到這些術語含意着的行為無從觀察，於是
無從推出可以驗證的假説，放棄了。一些同事説是我提出的卸
責觸發了博弈理論的捲土重來。若如是，很抱歉，是不良影
響。

　　產權與交易費用的重要性明顯。試想，在一人世界中，我
們不會有銀行，不會有律師，也沒有警察或公安、公務員、議
員、文員、會計、經紀、商人……這些行業，都是因為社會有
交易費用而產生的。我十分着重從這些費用或成本的局限轉變
來解釋行為，不僅因為這些費用普及，也因為這些局限的轉變
在原則上可以觀察到，是真實的。不容易量度，也不容易處
理，但原則及實踐上可以做到。

　　歷久以來，經濟分析集中在資源（生產要素）的使用
（resource allocation）與收入的分配（income distribution）
這兩大話題上，更為精彩的現象卻視若無睹。這後者包括制度
的形成、結構的組織、合約的選擇、價格的安排，等等。這些
現象是由交易或社會費用的存在促成的。漠視了這些現象是一
個重要的經濟學缺環，經濟學者因而對資源使用與收入分配只
能有初步的解釋。

　　回頭續前文，每個需求者對一種物品的邊際用值等於市價
的均衡點，在有交易費用的情況下可以有很多變化。一個重要
的困難，是我們不能假設這個天衣無縫的市場的交易費用是
零——雖然差不多所有經濟學者都是那樣説。困難是這樣的：
市場的本身是一種制度，而制度是因為有交易費用的存在而產
生的。假設交易費用是零，又怎會有市場呢？

　　我們可以肯定市場的存在是為了減少某些交易或社會費用，但這些減少了的費用是些什麼，是一個大難題。我們要到卷三至卷五才大事問津了。

　　對我影響很大的科斯定律（Coase Theorem），也有同樣的困難。簡言之，這定律說沒有私有產權就沒有市場交易。私有產權於是成為交易的一個先決的局限條件。這觀點是對的。但科斯在他的鴻文中加上另一個條件：交易費用是零。這就出現了困難。私有產權是一種制度，也是因為交易費用的存在而產生的。交易費用是零，怎還會有市場及產權制度呢？科斯定律在局限條件的假設上有了衝突，在邏輯上有了矛盾。這也是後話。

參考文獻

A. Marshall, *Principles of Economics*. Macmillan, 1890.

J. Robinson, *The Economics of Imperfect Competition*. Macmillan, 1933.

M. Friedman, *Price Theory*. Aldine Pub. Co., 1962.

A. A. Alchian and W. R. Allen, *University Economics*. Wadsworth Publishing Company, 1964.

H. Demsetz, "The Exchange and Enforcement of Property Rights," *Journal of Law & Economics*, 1964.

因為同時享用共用品的人可以無數，像美人打扮或思想傳世那類的收益往往存在，全部隔離不付費的人不會是最佳的選擇。

第八章：共用品與隔離理論

　　共用品的分析，經濟學者認為是大難題，有悠久的歷史了。四十多年前，幾位師友說我是打通這難題的最佳人選，但談何容易？二〇一〇年四月十五日凌晨四時，某些事使我睡不着，走到書桌前坐下，把多年想到的關於共用品的要點寫下來，隨意補加一些，竟然發覺得到的是一個近於完整的分析。澄清傳統分析之外，我加進了好些要點，而在二〇一六年五月我想到一個賞罰不對稱的有趣問題，再作補充。這就變為完整了。

第一節：共用品的性質

　　我們在第七章第二節提及：物品可分兩類，私用品（private goods）與共用品（public goods）。Public goods 一詞是薩繆爾森發明的；他起錯了名，誤導了後人，使中譯成為"公共品"，大錯特錯。

　　先以蘋果為例吧。蘋果是私用品。如果蘋果之價是每個一元，我的需求量是二，你的需求量是三，那麼一元之價，你和我加起來的需求量是五。市場的需求曲線是每價加量，那是向右橫加。這是私用品的市場需求。為什麼呢？因為我吃一整個蘋果你不能吃同一個。

共用品的市場需求向上直加

如果物品是一個電視節目，你在家中看，我也在家中看同一節目，你看你的，我看我的，互不干擾，那麼該電視節目就是共用品了。共用是指多人可以共享而不干擾他人的享用。私用品的性質是獨用（exclusive use），共用品的性質是同用（concurrent use）。傳統說共用品少有是不對的。除電視節目外，我們還可舉一個思想、一項發明、莫札特的音樂（不是指唱片，而是指音樂的本身）、我寫《經濟解釋》的內容（不是指書，而是書中的內容），等等。過後可見，共用品其實到處皆是，極為普遍。

某經濟學者二十多年前在香港報章上做文章，舉公廁為public goods之例。錯了。公廁是政府建造的，不收費，說是為公眾所用沒有錯。但公廁不可以共用，所以是私用品。海灘可以公用，但不可以共用——我躺臥曬太陽，不會讓你躺在我上面。私用品可以為公有，共用品可以為私有，不要搞錯。

市場需求與價格分歧

共用品的市場需求曲線，是以每個需求者的個人需求曲線向上直加起來的：每量加需求者的邊際用值。這帶來一個有趣的問題：一個電視節目我願意出二元看，你願意出三元看，是我們各自的邊際用值，加起來是五元。若電視台（有線的電視）收費二元，總收費是四元；若收費三元，你看我不看，總收費只得三元。若要達到總邊際用值收費來鼓勵節目的產出，電視台要用價格分歧的辦法：收我二元，收你三元。但價格分歧的費用奇高：電視台不容易知道你和我的邊際用值。價格不分歧，電視節目的產出就要打個折扣。那是說，以共用品而言，除非每個需求者天生一樣，否則同價不可以達到帕累托條件。

這是舊一套的帕累托條件。新的加上交易費用，看法變了，這是後話。（無線的電視有間接收費：我們看電視廣告的時間所值，是費用，價也。）

上述的分析有三個要點。一、因為我用時你也可以用，而收費要把不付費者隔離，共用品有收費的困難。吃蘋果是我吃你不能吃，隔離不設而自存，收費當然較易。二、交易或收費的費用夠低，共用品的產出及銷售會出現價格分歧。三、同一共用品，享用者之間的邊際用值不同。

第二節：大師之見有問號

共用品的爭議，起於密爾（J. S. Mill）一八四八年提出的燈塔例子，其後參與的名家有西季維克（H. Sidgwick, 1883）、林達爾（E. R. Lindahl, 1919）、庇古（A. C. Pigou, 1938）、薩繆爾森（P. A. Samuelson, 1953）等人。密爾的例子，是對海上船隻大有好處的燈塔有收費的困難，因為在黑夜中，船隻以燈塔的指引而避開礁石之後，逃之夭夭。他於是認為私人建造燈塔無利可圖，需要政府協助強行收費。跟着的西季維克與庇古之見，是燈塔應由政府建造，免費供船隻使用。

林達爾沒有分析燈塔，但他以公安服務的例子，首先提出共用品的概念，說市場需求是個人的需求曲線向上直加的。其實公安不是一個好例子，但向上直加提了出來就成了名。說公安服務不是共用品的好例子，可見於二戰後不久的香港。當時治安不妥，政府提供的公安服務不足，我父親的商店與鄰近的好些其他商店合資聘請護衛服務，也是公安。然而，有些商店不付費，搶劫行為出現時護衛員對不付費的不護。同樣，一九四七年的廣州，富有人家一般補貼當時政府提供的保安人員，效果是窮人家沒有保護。公安服務於是成為富人的私用品。

薩繆爾森言不成理

　　共用品的爭議的主要人物是薩繆爾森。這個二十世紀的理論天才同意密爾的觀點，認為燈塔私營不容易收取費用。但他補加了一個重點：就算燈塔容易收費，也是不應該收費的。這一下奇兵突出，把經濟學界搞得團團轉。薩氏的論點，是燈塔建成之後，多服務一艘船的費用是零——邊際費用是零。在這樣的情況下，收費會妨礙一些船隻選用燈塔，促使他們改道而行。既然邊際費用是零，這改道對社會有害無益，不收費才是上策。薩氏後來拿得諾貝爾獎，這論點的文章被提及。

　　共用品是指多人可共享同一物品，無數的人可以互不干擾地共用，多供應一個人的邊際費用或成本當然是零了。邊際成本是零就不應該收費，近於零的也不應該收費吧。跟着的分析是，如果收費低於平均成本或費用，私營一定虧本（這是對的），而如果收費等於或高於平均成本，那麼收費會在邊際成本之上（平均成本因為產量增加而下降，這也是對的）。收費高於邊際成本，對社會有害無益，不收費或由政府資助而又管制價格，才是上策。這是老生常談了。

兩種看法加不起來

　　這裡的要點是：牽涉到收費問題，共用品有互相矛盾的兩種看法。其一是要採用價格分歧，收到盡，才可以達到帕累托條件。其二是多供應一個享用者的邊際費用或成本是零，應該一律不收費。是有趣的價值觀，不可以解釋市場現象，但可以解釋某些政客及經濟學者的行為。

　　依照薩繆爾森的觀點，香港的海底隧道，如果沒有擠塞，是不應該收費的——多服務一輛車的邊際費用近於零。但若不收費，誰來建造？答案當然是應該由政府建造了。你同意不同意？電燈、煤氣、電話等，需求量增加平均成本下降的行業，都要由政府主理，或起碼由政府管制收費。這些也是老生常談。經濟學者的胡說八道，遇上權力慾強的政府，如魚得水，那所謂公共行業（public utilities）今天大都受到政府的管制。這裡的要點是：產量上升而平均成本不斷下降的行業，某方面往往有共用品的性質。這是因為從使用人數這方面看，人數增加每個人的平均成本是下降了。

要澄清一個錯得膚淺的關於共用品的論點：薩繆爾森說多服務一個顧客邊際費用是零，不應該收費，應由政府提供服務。單舉鋼琴演奏家的例子就夠了。

<h2 style="text-align:center">隔離收費是關鍵所在</h2>

一個鋼琴家在音樂廳演奏，是通過經理人收費的。這收費是演奏家的收入，是他天天勤修苦練的主要原因。他演奏的音樂是共用品。政府應否推出法例，鋼琴家應該由政府出錢培養呢？

沒有疑問，共用品可以私營產出。也沒有疑問，凡有或部分有共用品性質的產品或服務，每個顧客的邊際用值不一定相等。然而，人與人之間的邊際用值不等可不是共用品獨有。大家吃蘋果，你喜歡吃到核心去，我只吃幾口就拋掉——你和我之間對蘋果的邊際用值不同。政府應該加以干預嗎？

回頭說薩繆爾森，他大名鼎鼎的《經濟學》課本當年暢銷天下，讓他發了達。一本一本的課本是私用品，在書中薩氏的思想卻是共用的。他把自己產出的共用品思想與私用品的書本連銷——是一種捆綁銷售——而發了達，再以反對共用品由私人產出而拿得諾貝爾經濟學獎。此誠天才也（一笑）。

這裡的要點是：把共用品捆綁着私用品一起銷售，是隔離不付費的人不能享用的一個好辦法，可以減低交易費用。

第三節：橫看成嶺側成峰

以共同享用、互不干擾這原則來界定共用品，市場的需求曲線是不同的個人需求曲線向上直加而成，即是每量加每個需求者的邊際用值。然而，好些時，共用品是大家可以一起享用，但有擠迫情況，不是完全沒有干擾。這裡的要點是：無論怎樣擠迫，只要共用品的量不變，不會因為擠迫而變為私用品。擠迫的變動會導致個別享用者的需求曲線上下移動，不會左右移動。這是說，有時因為擠迫而互相干擾，導致個人的邊際用值下降；有時擠迫增加了可取的熱鬧，導致個人的邊際用值上升。不管是哪一種，產出共用品的人要考慮的是市場的需求，不是個別人士的需求，而出售收錢一般比私用品困難，因為要把不付錢的隔離——例如要買門票才可進場看演奏。

向上斜加是發神經

記着，不管怎樣擠迫，凡是享用人數增加而物品的量不增加，屬共用品，市場的需求曲線是個別享用者的需求邊際用值向上直加而成。有些學者以為看到皇帝的新衣，把個別享用者的需求曲線向右方斜上而加，以之處理共用品的擠迫情況。這是笑話，因為量沒有變，向右上斜加是發神經。凡是享用者增加導致量增加，屬私用品，市場的需求曲線是以個別需求曲線向右橫加，即每價加個別的需求量。共用品直加，私用品橫加，是清楚的處理。有沒有擠迫加法一樣，只是擠迫增加個別的需求曲線會下降。

邊際用值不同與相同的情況

讓我們回到鋼琴演奏的例子去，說得複雜一點吧。鋼琴演奏的本身可以看為一件物品，聽眾或多或少皆享用同一物品量，是共用品，而門票的安排是要隔離那些不付費的人。從出售這共用品看，市場（一個演奏廳）的需求曲線是個別曲線向上直加。票價的釐定，如果所有座位的質量相等，是售票老闆認為該價可以獲得最高的總收入。在這安排下，每個顧客付同價，他們的邊際用值不一定相同，而演奏廳不一定坐滿。如果交易費用夠低，售票老闆採用價格分歧，不同顧客付不同的票價，總收入會增加，而只要需求者夠多，演奏廳一定坐滿。不同顧客的邊際用值不會相等。這是共用品與私用品的一處區別，帕累托條件要有不同的闡釋——我說過了。要達到不同顧客的邊際用值相等，質量相同的座位的票價要相同，而又要有多場同樣的演奏，不同的顧客選擇享用不同的場數。另一方面，如果座位的質量不同，售票老闆的不同票價處理不算是價格分歧。

演奏共用與座位私用要選擇處理

再提升複雜層面。一場鋼琴演奏的需求可以看為市場需求，但場內的座位可不是共用品：我坐着聽，除非你是美女不能坐在我的膝上。從座位的角度看，只一場演奏，座位的需求也是市場的需求，但其需求曲線是個別需求向右橫加的，即每價加座位量。質量相同的座位同價，要達到個別顧客的邊際用值相等，除非個別碰巧相等，否則不同的顧客要選購數量不同的座位票：有些買三個座位一個人坐在中間。有點怪嗎？那當然，但不同質量的座位票價不同，一人一票一座會拉近不同顧客的邊際用值。

這裡的要點是：享受鋼琴演奏，從一個角度看是共用品，從另一角度看是私用品，市場的需求曲線前者是個別需求向上直加，後者是個別需求向右橫加。解釋行為選用哪種加法，要看是哪種行為或現象才決定。

其他類同的例子

如下是一個有名的例子。一列火車近於全滿，只有一個空位。多容納一個乘客的邊際成本近於零。車票要預售，難以價格分歧，近於零的票價火車要大虧蝕。不虧蝕的票價要遠超近於零的邊際成本，違反了傳統的帕累托條件。好些大師於是認為：政府如果不管制火車票價，這行業要由政府經營。據說這是今天的所謂公共行業（水、電、煤氣等）受到政府大事干預的原因。是原因嗎？還是藉口？

同學要注意，從一場演奏的需求轉到演奏廳內個別座位的需求，或從一列火車的需求轉到個別座位的需求，我們是從共用品轉到私用品那邊去，市場的需求曲線是從向上直加轉到向右橫加。有趣的是，從共用轉到私用後，我們看到對個別需求者的邊際供應成本下降得很快——火車的例子是邊際成本近於零。邊際成本不斷下降是那自然壟斷（natural monopoly）的熱門話題，是後話，這裡我只藉着討論共用品的概念，澄清一些騙人的玩意。

說到共用品，我要再一次提醒同學在本卷第五章寫《需求定律》時說過的話："何謂價？何謂量？需求曲線是指哪價？哪量？量是有質的還是委託的？這些問題不能避免。"從共用品與私用品的討論中同學們知道，同一物品或服務的享用，這樣看是共用品，那樣看是私用品：二者量不同，價不同，處理的方法也不同。為什麼市場會用那價、那量？需求定律應該是指哪價、哪量？弄清楚這些問題對解釋行為重要。

共用捆綁私用可隔離收費

讓我再加一點變化吧。嚴格地說，差不多所有物品都具有共用品與私用品的性質。例如欣賞鑽石是共用，戴鑽石是私用。這樣看，鑽石的成交也是一種捆綁銷售。市場一般偏於以私用特質的量度作價及量，因為比較容易隔離不付價的享用者，不像鋼琴演奏那樣，要用驗票員守在門口。這是說，鑽石以克拉量作價，欣賞的共用所值是算在該價之內。也有好些情況，因為共用品的性質存在，有價值的物品或服務難以量度，或無從隔離不付費的享用者，市場交易就談不上。同樣，一個蘋果可以吃（私用），也可以看（共用）。這裡的要點是：除了上文提到的隔離與捆綁這兩個協助收費的法門，私用品的需求定律可以不言自明地包含着共用品的利或害，但這些共用的質與量要假設不變。

考考同學吧。一個貌美如花的女人在街上走，打扮得像仙女下凡，眾人看着，開心過癮，是共用品的享受了。為什麼收不到錢這個美人還要花巨資及時間來打扮呢？這裡的要點是：一個打扮得像鬼火似的女人，目的是把共用品捆綁着自己，從而提升身價，跟鑽石因為光澤高而升值的道理是一樣的。

再加一個要點吧：傳統的市場需求曲線，一般是個別需求曲線向右橫加。這是私用品的處理，可不是因為共用品的性質少有，而是因為有隔離費用，市場喜歡以私用品的量作價。換言之，經濟學者做對了也不知何解也！

美人懂得隔離收費

一個蘋果可吃，是私用；一個蘋果可看，是共用。市場選擇可吃的作價是因為可以容易地隔離不付價的人，而蘋果可看的那方面不值錢，經濟學者歷來不注意。其實共用品的性質在真實世界隨處可見，只是市場一般選取有私用品的隔離功能的特徵作價。這是為了節省交易費用了。

一個貌美如花的女人讓我拉着她的手一起招搖過市，不讓你拉，老人家當然開心過癮。無奈她的美貌你也可以看，屬共用，我和她皆難以把你隔離而收費。然而，她的美貌價值傳到我拉着的她的手，請她進膳不會是漢堡包。這是她把你隔離來收我的費。說不定明天該美人會拉着你的手，把我隔離來收你的費。這類現象在我們生活的社會無處無之，天天有。

第四節：賞罰不對稱的隔離理論

我老是喜歡說美人。一個美人打扮得珠光寶氣，街上的人看得開心，屬共用，該美人可沒有收取街上人的錢。但她的身價是提升了，共用品的價值，好一部分是算進了美人的身價那邊去。這鼓勵她花費打扮。反過來，一間工廠污染鄰居，其影響屬負值，也屬共用，但工廠可沒有補償給鄰居，吵起來要求政府干預。美人與工廠這二者衍生出來的共用品效應顯然是不對稱的：美人打扮有身價升值的補償；工廠污染卻不會自動貶值。這跟蜜蜂採蜜與傳播花粉的算是私用品的對稱效果有別：採蜜的蜂主不付錢，經濟學者說政府要抽蜂主的稅，補貼給果園的主人；蜜蜂傳播花粉蜂主收不到錢，經濟學者說要抽果園主人的稅，補貼給蜂主。雖然我曾經證實了蜜蜂與果園的例子是神話，但經濟邏輯沒有錯，一方要補貼另一方要抽稅。這是對稱的。為什麼美人與工廠是不對稱的呢？答案是美人的打扮提升了自己的身價，她的花費有了補償，而蜜蜂傳播花粉蜂主卻沒有收費（不是實例，而是在我之前經濟學者以為如此）。

美人的自願不收費的供應，要求政府補貼是説笑了。

上述的美人例子與工廠污染的不對稱重要，因為示範着共用品與私用品的一個大差別。共用品因為受到影響的人多，可以無數，產出這共用品的人不收費對自己往往有收益。私用品例如一個蘋果，一個人獨自吃了，沒有其他收益，不像美人打扮，因為有外人欣賞而得到一點回報。

思想傳世的價值觀

美人的例子不是美人獨有，而是一般性的。好比我搞思想創作，思想當然也是共用品，欣賞或批評的人也多。我在一九六七年寫好一九六九年在芝加哥大學出版的《佃農理論》，收到的版稅總收入不足以請幾位朋友吃一頓飯。然而，當年要價只幾美元一本的書，今天網上的叫價愈千美元！這些錢當然不是由我收取，但見到這個價，該論著將會傳世逾百年今天近於肯定。我老是幻想着自己有不少文章會傳世很久，而對我來説自己的思想能夠歷久傳世值很多錢。當然，我無從把自己的傳世思想在市場出售而變為不是我的。上蒼有知，如果可以出售，我要求的價格會高到天上去！今天我是個富有的人嗎？當然不是，但比起一個大富的人，我選自己那一邊。是一個無從比較的財富位置，但如果思想不是共用品，我不會選走思想創作的路。換言之，我沒有伯牙那麼偉大，高山流水只奏給子期一個人聽。

是的，思想創作這回事，往往不能在市場成交，但作者可以自作選擇。在社會中，個人的選擇往往不能通過市場——就是交易費用是零也不能。説個人可作沒有市場的選擇是説選擇可以替代。這類選擇無數，經濟學者是過於重視市場了。今天的中國不重視思想創作，從我的價值觀看是悲劇！

九百多年前，蘇東坡寫好了他的《赤壁賦》，不敢以之示人，每天晚上在家中後園朗誦，害得鄰居老婦背得出來。蘇子當然知道該文將會歷久傳世，而如果上蒼有能，我樂意把自己的《佃農》換取他的《赤壁》。這可見一件共用品給產出者的價值，可以高到天上去，雖然不一定可以換得一碗飯吃。對社會整體來說，賣不起錢的共用品可以是無價之寶了。

收費與不收費的選擇

回頭說共用品的隔離理論，我們不妨先再看私用品的選量作價。私用品選用的量通常是天然地隔離不付價的人。量度有費用，履行的監管也有費用。從出售者的利益看，量的選擇可能如珍貴的鑽石以幾個量加起來作價，或西瓜在豐收時不算重量，以每隻為量算價。從購買者的利益看，被瞞騙的行為主要出現在沒有被量度作價的其他質量。後者，一個出售者或商店的聲譽就顯得重要了。都是交易或訊息費用引起的現象，是後話。

轉到共用品，不能隔離不付費的使用者，出售的人無從收費。我們初步的分析，是隔離帶來的收入增加在邊際上要足以填補隔離的費用（例如出售門票與顧客進場驗票）。然而，想深一層，因為同時享用共用品的人可以無數，像美人打扮或思想傳世那類的收益往往存在，全部隔離不付費的人不會是最佳的選擇。出售共用品的人的選擇是某程度隔離收費，某程度放開讓不付費的享用。均衡點是在邊際上，"量"的選擇是隔離的直接收入，減去不隔離的間接收入，與執行的費用相等。

這是為什麼某些球賽或歌唱演出，進場收費之外，在場外卻有大銀幕讓不付費的人觀看。有些演出選擇性地贈送門票，因為是免費，獲贈票者的意向事前難以估計，以至不少佳座在演出時空了出來。

二千多年來，中國人有句老話："耳之於聲，有同聽焉；目之於色，有同視焉。"把"同"字改作"共"字，就是本章說的共用品。同不一定是共，但共卻一定是同。我們日常見到的共用品大部分都是跟"聲"與"色"有關。所以我們可以勉強地說，共用品這回事，炎黃子孫早就知道了。

像我這個老人家搞的思想創作那類共用品要怎樣算呢？我可以補加一句：腦之於思，有同感焉！

參考文獻

J. S. Mill, *Principles of Political Economy*. John W. Parker, 1848.

E. Lindahl, "Just Taxation–A Positive Solution," (1919), *Classics in the Theory of Public Finance*. Macmillan, 1958.

P. A. Samuelson, "The Pure Theory of Public Expenditure," *Review of Economics and Statistics*, 1954.

S. N. S. Cheung, "The Structure of a Contract and the Theory of a Non-exclusive Resource," *Journal of Law and Economics*, 1970.

S. N. S. Cheung, "The Fable of the Bees: An Economic Investigation," *Journal of Law and Economics*, 1973.

我把經濟學的理論結構的整體簡化為三部分——需求定律、成本概念、競爭含意——為的是要讓出很大的空間，讓我們能比較容易地把交易費用放進去。漠視交易費用經濟學的解釋世事的用場不大，但複雜的理論是很難容納交易費用的。作學生時我對複雜的理論與技術上的操控學得成績好，但經過多年的探討認為不管用。世界複雜，我們要用簡單的理論結構處理，但如此一來，簡單理論的掌握要有很深入的層面。

第九章：經濟學的理論結構與
哲學性質

二〇一四年《經濟解釋》共四卷的重寫快完工時，太太無意間在英語網上看到 Steven Cheung's Demand Curve（史提芬‧張的需求曲線）一詞。需求曲線可不是我的發明，怎麼會扯到我這邊來呢？略查究竟，原來在《科學說需求》的《原序》起筆時提到一九七一年我寫下的一篇題為《交易理論與市場需求》的文稿，用上一幅幾何圖表，自己從來沒有發表過，但被美國朋友放進兩本甚或更多的教科書內，把我的名字與該大名曲線掛了鈎。當年我顯然不認為該圖表重要，因為自己沒有保存該文稿。

該幾何圖表非常淺，容易記得，我在本卷的第七章大致上以文字申述了。這次見到有人把老人家的舊圖重提，自己再畫出來，再看再想一下。一九七一是四十三年前——稼軒寫《京口北固亭懷古》有"四十三年，望中猶記，烽火揚州路"之句，怎會那麼巧？我不由得細看該圖表，想想自己四十多年來在經濟理論的思想上有些什麼變化，竟然發覺該簡單不過的圖表是包括着傳統經濟理論的所有內容！當年不這樣看，今天這樣看，是反映着自己在一門學問上有了長進。

本來說整套《經濟解釋》不會用一幅圖表——斯密的《國富論》沒有用——但補加這章我要自食其言了。兩個原因。其一是最近幾次給同學們講話，用上該圖表，他們不少要求我要

把它放進《經濟解釋》中。其二是學經濟的中國同學多,要是
他們看得明白,該圖表的傳世機會不小:非常簡單,但內容廣
泛,闡釋起來變化多,是合乎傳世的所有規格了。

第一節:經濟學的理論結構

附圖以縱軸為價(P),橫軸為量(Q)。豎直的 S 線代表着
某物品的供應總量(Q*),假設固定不變。有 A 與 B 兩個人,
d_A 與 d_B 分別是二者對該物品的需求曲線。先假設在交易之前
該物品全部為 B 所有。這樣,該物品給 B 的邊際用值是 M。A
完全沒有該物品,其邊際用值是 N。在這情況下,如果交易之
價高於 M,B 會出售給 A。另一方面,如果購買之價低於 N,A
會購入。

一九七一圖表: 交易理論與市場需求

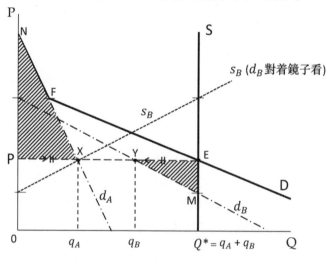

每量 B 售出必與 A 的購入量相同,此乃成交量也。B 售出,
是沿着他的需求曲線 d_B 向左上移動;A 購入,是沿着他的需求

曲線 d_A 向右下移動。從橫線看前後二者的移動量每步相同。只要 B 的邊際用值低於 A 的邊際用值，B 會增加出售給 A，因為有利可圖；另一方面，只要 A 的邊際用值高於 B 的，前者會增加從 B 購進，也因為有利可圖。均衡點是 B 的邊際用值與 A 的邊際用值相等。從圖表可見，B 出售到 Y 點，他的邊際用值會跟 A 購入到 X 點的邊際用值相等，而 B 的售出量（EY）一定與 A 的購入量（PX）相等。P 是他倆的成交價，也即是市價。

交易互利與市場需求

交易是互相征利。A 之利是他的消費者盈餘（面積 NXP）。他的總用值是面積 $0NXq_A$，但付出給 B 的總換值是面積 $0PXq_A$，所以面積 NXP 是 A 的交易總利。B 的交易總利是面積 YEM。這是因為他放棄了的總用值是面積 YMQ^*q_B，但獲取的總換值是面積 YEQ^*q_B（即 $0PXq_A$），面積 YEM 於是成為 B 出售給 A 所獲的總利。

我們把 A 的需求曲線 d_A 與 B 的需求曲線 d_B 每價向右橫加而得 A 與 B 合共的需求曲線。這後者就是市場的需求曲線了。即是每價按着 d_A 與 d_B 向右橫加，得到的 NFED 是市場的需求曲線。

不管 A 與 B 的個別需求曲線怎樣畫，只要二者有交易上述的均衡情況會出現。要注意的是在 E 那一點，市場需求曲線（NFED）與固定的供應總量曲線（豎直的 SQ^*）相交。那是市場均衡，而 P 是交易的市價。重要是這個市場均衡點可不是因為馬歇爾提出剪刀二刃相交，也不是因為過剩或短缺的壓力，而是因為 A 與 B 兩人各自為戰，自私自利，見價低於自己的邊際用值就購入，見價高於自己的邊際用值就沽出，互不相讓，既沒有壟斷，也沒有串謀。在 E 這個市場均衡點於是出現如下情況：A 的邊際用值等於市價等於 B 的邊際用值。

　　同一物品，擴展到有無數人的市場，分析依舊。無數的個別需求曲線向右橫加，無數還沒有交易的豎直供應曲線也向右橫加，結果是市場的總需求曲線與總供應曲線相交之處（E）就是市場均衡，而無數的人一起交易之價（P）是在市場需求曲線與總供應曲線的相交點。市價一也，競爭使然，而無數的參與者的各自邊際用值一律相等，也等於市價。

　　如果政府立例管制該物品的市價，當然要作別論，但說什麼剩餘或短缺會出現，不均衡，是低能之見。正確的處理，是市價作為競爭準則如果被禁止採用，其他競爭準則會出現，局部或全部替代市價。知道什麼其他競爭準則會出現，均衡分析是研究生習作。非常困難的是要推斷在價管下，哪一種或哪幾種市價之外的其他準則會被採用。一九七四年我破此案時巴澤爾說是他平生讀過的最重要的經濟學文章，要到卷四才討論了。

邊際用值與邊際成本只是從不同的角度看

　　以上是老人家四十三年前提出的論點，跟着的發展有長進，陳述如下。

　　回頭看圖表，未有交易之前物品全部為 B 所有，以豎直的 S 線表達。若價高於 M，B 會沿着他的需求曲線（d_B）賣給 A。B 的供應曲線於是成為 d_B 對着鏡子看，即 s_B。這 B 的有交易的供應曲線（s_B）在 X 那點與 A 的需求曲線（d_A）相交，代表着 B 的邊際成本與 A 的邊際用值相等，是從另一個重要角度看市場均衡。為什麼 s_B 是 B 供應給 A 的邊際成本曲線呢？因為那是他的需求曲線（d_B）對着鏡子看！B 的需求曲線代表着他的邊際用值，是他願意付出最高的邊際價值，而成本的定義是最高的代價。B 放棄或出售給 A，該物品的最高代價，是 B 自己衡量該物品的邊際用值。

　　從上述補充的角度看，市場均衡不僅是每個消費者的邊際用值相等，再等於市價，更再要等於供應者的邊際成本。如此類推，擴展到市場有無數的參與者，所有的人的邊際用值等於所有的人的邊際成本，再一律等於市場的成交價。

引進生產活動分析大致不變

　　上述分析是假設市場上某物品有一個整體的存量，沒有生產活動，也即是沒有製造業。引進生產或製造，其分析基本上沒有變。假設在街頭有一個賣花生的人，投入自己的勞力種植花生與加工製成可口的食品，在街上應市。沒有伙伴，這花生的產出者是個獨行俠。這個人的生產要素當然也是經濟物品。在競爭下，通過市場與市價這個人把自己的生產要素換取他人的物品。在均衡點上，這個人的邊際生產成本會跟花生的消費者的邊際用值相等。

　　這裡跟沒有生產或製造的情況只有一項重要的分別。那就是動用生產要素來製造可口的花生，我們要加進邊際產量下降定律的約束。如此一來，製造花生出售的人的邊際成本曲線不僅會受到他對自己的生產要素的需求曲線的約束，也要加進產出花生過程中的邊際產量下降定律的左右。

　　我曾經提及，在市場上，需求曲線向右上升的吉芬物品不會在競爭中存在（同學們可從本節的幾何圖表的簡單曲線證實這一點，容易的）。引進生產或製造，有了邊際產量下降定律的約束，邏輯上吉芬物品更不可能存在了。提出吉芬物品的馬歇爾，舉麵包為例。麵包無疑是消費物品，但絕對也是生產要素，怎會不受到邊際產量下降定律的約束呢？

我們可以嚴謹地大手簡化。邊際用值是消費者願意出的最高價值，但從放棄的角度看就成為最高的邊際代價，也即是邊際成本，對着鏡子看就成為 s_B 那條供應曲線。另一方面，既然麵包是消費物品，也是生產要素，受到邊際產量下降定律的約束，d_B 對着鏡子看的 s_B 就是邊際產量下降曲線與需求曲線的組合。我們會在本卷過後才給成本與邊際產量遠為詳盡的解釋。

自甘為奴與市場分離

我們不妨再提升分析的複雜層面。假設製造花生食品的人，為了增加自己的收入，不在街頭作小販，而是參與一家工廠跟其他人一起分工合作，由經理人分派及指導工作。他是自甘為奴，提供自己的勞力跟其他員工合作，從而分享分工合作帶來的巨利。他的貢獻只是產品的一小部分。這裡，分析的結果跟上文說的一樣，但我們要從以件工算工資的角度看。從件工看，這個人的貢獻就彷彿把自己產出的花生賣給經理人，然後讓經理人把他的件工產出與其他員工的不同部分產出，合併而成另一種產品，然後應市。我不需要再說什麼邊際等於什麼邊際等於什麼邊際而又再加什麼邊際吧。

上述基本上還是產品市場，雖然產品是由一種變為多種了。嚴重問題的出現，是工廠員工合作產出時再不用件工，而是以時間算工資，即是以員工的時間作為他們產出貢獻的一個委託量度。這是個湛深而又非常有趣的話題，我要到分析公司性質時才作深入討論。這裡只能說，引進時間工資，產品市場與生產要素市場會分離，變為兩個不同類別的市場。然而，從經濟大原則那方面衡量，市場均衡與競爭含意還是一樣的。

沒有宏觀經濟學這回事！

上述的分析是說那大名的薩伊定律基本上沒有錯，雖然薩伊說供應創造需求應該看為供應是為了需求。過後我會解釋，凱恩斯學派認為薩伊定律錯是基於一個不深的謬誤。

上述的圖表有一處忽略：沒有引進時間對價值的影響。這方面的補充我們要感謝源自奧國學派的美國耶魯大學的天才費雪的貢獻。他提出利息是時間之價，讓我們對"現價"或現值有了深入的理解，是不可或缺的補充了。再者，費雪之見：投資與儲蓄是同一回事，只是角度不同。這跟劍橋大師凱恩斯及他的追隨者認為投資是"注入"，儲蓄是"流失"的看法有着大差別。這方面，過後我會解釋為什麼費雪對，凱恩斯錯。凱恩斯學派的宏觀分析因而潰不成軍。一九六四年，老師阿爾欽對我說過這樣的一句話："宏觀經濟學嗎？沒有這回事！"

上述無疑對經濟學的整體架構簡化得厲害，但我認為該整體既可以也應該如是看，然後讓使用的人把複雜的變化自己加上去。不容易，變化是否加得到家，處理是否了當，有大人與小孩之別，但同學們可以按着老人家教的逐步嘗試。

理論結構只三部分

如上所述，經濟學的理論結構有三部分——只有三部分——都重要。

其一是需求定律，是指那向右下傾斜的需求曲線，內容為何我以《科學說需求》整本處理過了。這定律包括在局限下爭取利益極大化的所有含意，但其中有一個大麻煩：需求量（與供應量）不是真有其物，該定律的本身因而無從驗證，要以邏輯推出真有其物的變數的驗證含意才可以發揮該定律的解釋威力。同樣，那所謂"均衡"也非真有其物，不要跟物理學的均衡混為一談。經濟學的均衡是指什麼我解釋過了。

其二是成本的概念。這概念的定義本科生背得出來，但因為變化多學之者要觀察、思考多年才可以有稱意的掌握。尤其是也算是成本的租值，因為角度往往轉來轉去，不容易拿得準。好比我曾經寫下"成本的轉變決定行為；行為的轉變決定租值"這句話，多番考慮之後我有時保留，有時放棄——因為要看選擇的角度是什麼。要注意，成本是代價，在好些情況下引進需求定律成本與價相同。成本的分析我會在卷二《收入與成本》處理。

其三是競爭的局限。源於有社會，競爭使產權等問題出現，經濟分析變得複雜無數倍。全五卷《經濟解釋》皆涉及競爭這個重要話題，而主要的處理是在卷三至卷五。

以經濟理論解釋人類的行為，來來去去都是局限轉變行為會跟着怎樣變。事前推斷是先看局限轉變；事後解釋是追溯局限轉變。皆解釋也。局限轉變之外，解釋或推斷行為的理論約束，不可或缺的只有需求定律，但我們要把局限轉變翻為價或代價的轉變才能引用到需求定律那邊去。

交易費用最難處理

在整個考查局限轉變的範疇中，困難程度最高是考查交易費用的轉變。這是因為交易費用一律牽涉到成本的概念與競爭的約束這兩方皆不淺的學問。再者，雖然原則上交易費用可以觀察量度，但實踐起來往往困難。經過多年的耕耘，到今天我還認為有一般性的關於交易費用的函數不存在；或者說，零散的函數關係太多。

我自己深信不疑的，是漠視交易費用這項局限轉變，經濟學的解釋行為或現象的功能不是那麼好，往往令從事者失望。我可能只是行內一小撮這樣想的人的其中一個，但多年來我引進交易費用的轉變而得到令自己滿意、痛快的實例解釋無數，認為是非常有趣的學問，心安理得，不管他人怎樣想了。

我把交易費用、制度費用、合約費用、約束競爭費用、租值消散等，一起畫上等號！這讓我們能從不同的角度考查交易費用的轉變，有時這樣看，有時那樣看，解釋現象或行為可有奇效。在過後幾卷我會在不同的層面申述。

這裡同學們要注意，我把經濟學的理論結構的整體簡化為本節說的三部分——需求定律、成本概念、競爭含意——為的是要讓出很大的空間，讓我們能比較容易地把交易費用放進去。漠視交易費用經濟學的解釋世事的用場不大，但複雜的理論是很難容納交易費用的。作學生時我對複雜的理論與技術上的操控學得成績好，但經過多年的探討認為不管用。世界複雜，我們要用簡單的理論結構處理，但如此一來，簡單理論的掌握要有很深入的層面。

第二節：經濟學的哲學性質

哲學應該是人類在思想上最艱深的學問。上世紀六十年代初期在洛杉磯加大作研究生時，我認識幾位讀哲學的，知道當時的哲學系分倫理（ethics）與邏輯（logic）兩部分。倫理牽涉到價值觀，是深是淺很難說；邏輯學是無底深潭，可幸有簡化的闡釋。

邏輯哲學是科學方法（methodology of science）的重心，驗證假說是實證科學的主旨，當年在洛杉磯加大的經濟系研究院是個熱門話題。正規的經濟課程沒有教，但哲學系那邊有卡爾納普（R. Carnap）教本科，同學們都嚷着去聽，而經濟系本身的布魯納（K. Brunner）是個動不動以邏輯為先的

人。是的，當年在加大的經濟研究院內，科學方法是我和幾位
同學經常討論的話題，主要當然是研討驗證含意的規格。離開
加大之後我自己的發展，是重視"看不到則驗不着"這個原
則，認為經濟學用上的無數術語皆空中樓閣，沒有什麼實際用
場。

從論文《佃農理論》開始，我的推理習慣是每走一步必以
驗證為大前提——那剛好是在科學方法上跟同學們吵了幾年的
時候。在該論文分析合約的選擇時我提出"卸責"這個無從觀
察的理念，耿耿於懷久之，終於放棄。後來凡屬變量我皆着重
於觀察，着重於真有其"量"。今天，在實證上，我對世事的
看法跟當年的師友是有着頗大的分離了。在本卷的第一章《科
學的方法》裡我詳盡地把自己的驗證方法寫了下來。

經濟學格外重視方法邏輯

經濟學者着重於科學方法起自李嘉圖，後來的馬歇爾執着
於驗證。可惜這些大師們沒有認真地執行過。近代經濟學者的
方法爭議的導火線，源於老師阿爾欽一九五〇年發表的關於自
然淘汰與經濟理論的文章。那是阿師的曠世傑作，當年我讀後
有好幾晚睡不着。行內的科學方法大辯論源自弗里德曼
一九五三發表的《實證經濟學的方法》。弗老在文中提到阿師
給他的啟發，寫得不是那麼好，可以商榷的地方多。一石激起
千重浪，這大辯論持續了二十多年。七十年代後期開始平息，
但沒有大家同意的結論。是不幸的，因為博弈理論八十年代初
期在經濟學捲土重來。博弈理論違反了"看不到則驗不着"這
個實證科學的基礎原則，也漠視了經濟學的基礎概念，從解釋
世事那方面看一律拿零分。

這就帶到本節關注的一個問題：在所有驗證科學中，只有

經濟學重視探討科學的方法。那是為什麼？雖然今天的經濟學者對科學方法似乎失卻了興趣，但曾經有很長的時日他們對科學方法的討論遠超其他需要驗證的科學。科學方法是哲學邏輯那方面的學問。專於此道的人一般對實證科學沒有染指。他們的興趣是解釋為什麼自然科學（natural 或 physical sciences）例如物理、化學、生物等能有那麼強的解釋或推斷功能。尤其是經過維也納學派的耕耘，可以被推翻的假說（falsifiable hypothesis）就成為實證科學（empirical science）的核心哲理。可以被推翻是指可以被事實推翻——假說不以事實為憑是無從驗證的。

另一方面，物理、化學、生物等自然科學的從事者很少涉及科學方法這個哲學邏輯上的話題。我曾經拜讀過愛因斯坦與哲學大師波普爾在科學方法上的辯論的來往信件，獲益良多，但自然科學家中對方法邏輯有興趣的，愛氏是個少見的例子。我認識不少在自然科學有點成就的朋友，皆對科學方法一無所知。他們天天在實驗室操作，是成是敗用不着問蒼天。

經濟是社會科學中唯一走自然科學的路

經濟屬社會科學（social sciences）。社會科學中還有政治、歷史、人類學、社會學等。除了經濟，其他社會科學很少涉及科學方法的討論或爭議。這些社會科學當然着重事實的考查，也重視解釋，但這些其他社會科學不是公理性質（axiomatic）的，即是不以一些公理或定律或武斷的假設作為分析的出發點，絕少用上"可以被事實推翻的假說"從事，驗證的科學方法因而少受注意。

薩繆爾森曾經說經濟是社會科學中的皇后。這是言過其實了。我不懂政治與社會學，但從歷史與人類學中學得不少，很佩服這些學問的好些論著。不是公理性，因而不搞假説驗證，但往往有令人拜服的學問，其解釋力可以自成一家。解釋不一定要通過假説的驗證。經濟學呢？有令人尷尬的一面。就説薩繆爾森吧。他是經濟大師，二〇〇九年謝世時舉世頌揚，但也有兩位行內專家算出，薩氏生平對重要經濟發展的推斷沒有中過一次！薩繆爾森無疑是個創造模型的天才，但他對需求定律、成本概念、競爭約束等的掌握一律不到家。

在所有社會科學中，只有經濟學是公理性的。公理性是指有武斷性的假設與有一般性的定義或定律，從而推出可以驗證的假説。驗證是求錯或求證偽，要以可以觀察到的事實或現象從事。沒有被事實推翻就算是過了關，即是通過假説的驗證而作了解釋。社會科學中只有經濟學以公理性的原則從事解釋，但所有自然科學皆屬公理性，解釋的方法跟經濟學用的相同。然而，前文指出，自然科學的從事者很少問津哲學邏輯的科學方法，但經濟學卻頻頻涉及。為什麼會是這樣呢？

沒有人造實驗室卻要解釋自己

我認為有三個原因。首兩個是淺的，只需略説。第三個原因不淺，但有意思，由我自己想出來，要多花一點筆墨了。

第一個原因，是經濟學要解釋的是人類的行為，也即是經濟學者要解釋自己。這使不少經濟學者喜歡把自己的價值觀帶到自己認為是理想的世界，不容易置身事外地看問題。然而，置身事外地客觀是科學的一個起碼要求，經濟學者不容易做到。為了約束自己的價值觀左右着真理的追求，一些認為需要客觀判斷的就引進哲學邏輯的方法來約束自己。話雖如此，那毫無解釋或推斷功能的福利經濟學到今天還是驅之不去，問津者大不乏人。當然，加進自己的切身利益，或為利益團體服務，經濟學者往往把自己的靈魂賤價出售。

　　第二個經濟學重視科學方法的原因，是作為一門實證科學，經濟學的實驗室是真實的世界，沒有自然科學必有的人造的實驗或化驗室的支持、協助着假説或理論的驗證。自然科學的從事者天天坐在實驗室操作。原則上，經濟學者應該天天到真實世界的街頭巷尾跑。但他們沒有：要不是坐在辦公室推出一些不着邊際的模型，就是拿着一些沒有多少真實細節的數據搞回歸統計。任何題材，實情究竟如何，經濟學者一般沒有足夠的掌握。因為這項大不足，科學的方法邏輯就變得重要，好叫經濟學者能約束一下胡亂推理的傾向。

漠視變化細節帶來失誤

　　這些年有些經濟學者嘗試"建造"自己的實驗室，稱"實驗經濟學"（其中兩位主要人物我認識）。他們炮製一些實際的情況，讓不知情的外人進入這情況中，然後觀察行為。這種"實驗"顯然是源於考查真實世界過於複雜，無法像自然科學那樣在實驗室內操控，所以要設計一些特殊或指定的情況來試驗那些不知就裡的被驗者。原則上當然可以，但談何容易？真實世界非常複雜，以人工調控的簡化容易搞出笑話。更為頭痛的問題是：經濟學的公理或定律是從人類的行為反推過來而成立，有着多而複雜的變化。以炮製情況來作實驗，充其量只能驗證一些沒有什麼變化的行為。

　　不論炮製情況這項玩意，我可舉一個所有經濟學者相信、所有學生必讀的理論，但因為不知世事而錯得離譜。那是以需求彈性係數不同來解釋價格分歧。這理論邏輯井然，但因為彈性係數近於無從觀察，沒有誰見過有説服力的驗證。為此我觀察了多年，發覺該傳統的價格分歧理論推出來的間接含意一般與真實世界的現象有出入。最後我想出資源空置是價格分歧的原因，跟着的考查驗證百發百中。其他例子如捆綁銷售、全線逼銷等，也因為在街頭巷尾跑得多，我找到足以跟任何人打賭的解釋，皆與書本或他家說的相去甚遠。很明顯，真實世界的現象細節非常重要，爭取這些細節，經濟學者別無選擇，要到真實世界的街頭巷尾跑。

空中樓閣的處理需要另一種天賦

最後一個經濟學重視科學方法的原因，比以上兩個多了不少新意，說起來有點冒險，但重要，是本節要說的經濟學的哲學性質的重心所在。上文提及，所有自然科學皆屬公理性，但社會科學中只有經濟學屬公理性，而公理性的科學皆着重於假說驗證。

這裡我觀察到的要點，是作為一門屬公理性的科學，經濟學的公理，除了邊際產量下降定律，從局限下個人爭取利益極大化的武斷假設到需求定律到成本定義等，一律是空中樓閣，不加進些什麼這些公理的本身難以觸摸。自然科學的公理，雖然有時也屬空中樓閣，但出發點近於一律是原則上真有其物，有可以觀察到的物體的支持。例如物理學講什麼原子，化學有元素，生物學有 DNA 及基因等。對我這個門外漢來說，自然科學十分神奇。好比在發現 DNA 的雙螺旋結構之前，生物學家已經肯定有 DNA 這東西。

讓我說清楚一點吧。自然科學的公理的起點，一般是基於真有其物，或從事者相信真有其物。是神奇的學問，因為先前無從觀察但認為是有之"物"，若干年後往往被證實為有。愛因斯坦幾次推中，其天才近乎神話了。經濟學呢？公理的起點一般不是基於真有其物——例如功用、需求量、均衡、極大化等

不僅全屬虛構，有道的經濟學者知道是空中樓閣，不會愚蠢地
試行證實其存在。我不懷疑經濟學從來沒有出現過像愛因斯
坦、孟德爾、達爾文那個水平的天才；但我懷疑這些自然科學
的天才可以把空中樓閣處理得像一小撮經濟學者那麼好。半個
世紀前老師赫舒拉發對我説：弗里德曼攻物理不會是另一個愛
因斯坦。我回應：愛因斯坦攻經濟不會是另一個弗里德曼。

回頭再看自私的假設或公理

　　我在本卷第二章提到，經濟學用上的自私假設或公理有三
種闡釋。其一是斯密提出的自然淘汰觀，認為人類的自私是適
者生存的行為。這個重要的觀點影響了後來的生物學家達爾
文。問題是，從解釋行為那方面看，適者生存的自私難以解釋
人類的互相殘殺。其二是道金斯一九七六年指出，自私是天生
的基因使然。道氏之作很有説服力。其三是把自私處理為一個
武斷的假設。後二者皆容許人類互相殘殺。我選武斷的自私，
從解釋人類行為那方面看與自私基因沒有什麼不同。互愛互助
與互相殘殺皆可從局限的轉變處理。

　　另一方面，自然淘汰可不是沒有真理的。作本科生選修某
科時，老師教：長頸鹿之所以有長頸，因為該鹿以吃樹上的葉
為生。該鹿原來也有短頸的，其基因分長頸與短頸兩種。基因
屬短頸的吃不到樹上的葉，死得早，一代一代地傳下去，有短
頸基因的遭淘汰，餘下來的只有長頸鹿。這例子當年被引用來
證明達爾文的自然淘汰觀是錯，因為他提出自然淘汰時不知道
有基因這回事。但達爾文真的是錯了嗎？要看我們怎樣算。只
看短頸鹿吃不到樹上的葉而遭淘汰他沒有錯，看長頸鹿的生存
與吃葉的行為達氏不需要引進基因──只引進自然淘汰足夠。
由此引申，我認為自然淘汰這個理念用於經濟解釋依然重要，

問題是用於哪方面的行為。我會頻頻用於解釋競爭的行為與效果。

從人類行為與自然淘汰反推過來的公理

這就帶到本節要說的核心話題——即是問：經濟學的哲學性質究竟是什麼？我的答案是：作為一門以武斷假設或公理為起點的科學，除了邊際產量下降定律，這些公理不是基於一些可以觀察到的或真有其物的生理細胞或基因的運作，而是從人類的行為引申回頭而獲得的定義或規律。不同的公理或武斷假設之間沒有矛盾，推得出可以用事實驗證的假說，就成為一門實證科學了。因為經濟學的公理的非真實性比自然科學的來得普及，科學的方法邏輯就比其他自然科學有較大的監管用場了。

這解釋了為什麼多年以來我堅持要多到真實世界觀察，重視市場與非市場的現象細節，然後反推過來與經濟學的公理、定律或定義印證，看看這些概念或理念在細節上的變化是否需要修改，或在闡釋上是否需要補充。換言之，經濟學的公理不是事實，而是從人類的行為，經過競爭與自然淘汰的左右，反推過來而求得。使用這些公理的人在細節上要作補充或修改，才可以發揮這些公理的解釋功能。

考查細節重要的兩個實例

好比需求定律，真實世界沒有那條需求曲線，需求量不是真有其物，課本上的解釋拖泥帶水，說不上有廣泛的用場。是我之幸，當年在研究院三位老師教這曲線各各不同，都教得非常好。然而，當我拿着該定律的曲線在香港跑工廠跑市場時，竟然發覺該定律與觀察到的現象或行為有點格格不入。我要經過好些時日，以觀察到的細節對價與量的闡釋作了大量的補

充，保留着該定律的基本原則，才感到該定律的解釋威力無
窮。換言之，我是從適者生存的市場與非市場的競爭行為來給
需求定律的闡釋加上變化，對價與量作了多方面的補充，使用
該定律時才感到得心應手。

好比成本的定義或概念，也屬空中樓閣。一七七六年斯密
在《國富論》中用得對，顯然是源於他的自然淘汰的思維。
一八四八年密爾出版他的巨著時也用得對，但一八九〇年馬歇
爾在他的《原理》中卻弄得一團糟。説來尷尬，"成本是最高的
代價"這個不可或缺的定義，要到我作研究生時才算是一般地
被經濟學者接受了。然而，只背得出這個定義，不懂得引進真
實世界的細節與變化，這定義的用途不多。也難怪今天搞博弈
理論的眾君子對成本概念的掌握令人尷尬。

在成本的理念上我也在真實世界觀察了多年，重視細節，
提出了上頭成本、擠迫效應、租值消散、合約結構、競爭約束
等皆與成本有關的理念。這些變化讓我們大幅地增加了對世事
的理解，於今回顧，這些補充一律是經過自然淘汰的人類行為
而獲得的。另一方面，認為沒有大用場的經濟學公理或概念，
我不管也不用，因為以自然淘汰作補充是很麻煩的工作。

結語

人類的行為有規律。要不然，我們不會有社會科學這回
事。在社會科學中只有經濟學是公理性的，後者與自然科學相
同。自然科學的公理一般是以真有其物為起點，然後推斷行為
或現象。經濟學的公理一般是空中樓閣，本身無從觀察。自然
淘汰是偉大的思想，源自斯密，發揚於達爾文，以天才之筆引
進現代經濟學是阿爾欽。我是阿爾欽的入室弟子，尋尋覓覓
五十年，終於明白：自然淘汰的思維，用於經濟學，不僅是競

爭下的適者生存可以挽救一些非真實的公理，遠為重要是經濟學的公理或定義的細節調校與補充，引進自然淘汰會有令人驚喜的好去處。然而，我用的自私假設卻是一個武斷的公理。

同樣是公理性的科學，自然淘汰的思維，用於自然科學要從公理含意着的微小現象的變化入手，但用於經濟學則要倒轉過來，以人類行為的規律細節把公理或定義作修改或補充，是對還是錯，最終的衡量是看這些公理約束着的人類的行為能否經得起自然淘汰的蹂躪。從哲學邏輯的角度看，二者的解釋或推斷能力一樣。世界多麼有趣！

參考文獻

A. Smith, *An Inquiry into the Nature and Causes of the Wealth of Nations*, W. Strahan and T. Cadell, 1776.

A. Marshall, *Principles of Economics*. Macmillan, 1890.

R. Carnap, *Logical Foundations of Probability*. University of Chicago Press, 1962.

C. G. Hempel, *Philosophy of Natural Science*. Prentice-Hall, 1966.

人名索引
（Name Index）

經濟解釋 第四版

全五卷之一：科學說需求

Steven N. S. Cheung, Economic Explanation, Fourth Edition
Book One of Five: The Science of Demand

作者	張五常
封面攝影	張五常
扉頁書法	張五常
扉頁篆刻	茅大容：山一程水一程
	吳子建：張五常
內頁篆刻	陳壯志：取自蘇軾《永遇樂》
書底篆刻	徐慶華：夜深長見斗牛光焰
總編輯	葉海旋
助理編輯	黃秋婷
設計	陳艷丁
出版	花千樹出版有限公司
	地址：九龍深水埗元州街 290-296 號 1104 室
	電郵：info@arcadiapress.com.hk
印刷	利高印刷有限公司
初版	二〇〇一年五月
神州增訂版	二〇一〇年六月
香港版	二〇一一年五月
第四版	二〇一七年四月
ISBN	978-988-8265-75-6